W9-BAQ-098

里昂纳德·曼罗迪诺◎著　陈雅云◎译

陕西师范大学出版社

图书在版编目（CIP）数据

费曼的彩虹：物理大师的最后24堂课/（美）曼罗迪诺著；陈雅云译．—西安：陕西师范大学出版社，2007.1

书名原文：Feynman's Rainbow: A Search for Beauty in Physics and in Life

ISBN 978-7-5613-3712-7

Ⅰ．费…　Ⅱ．①曼…②陈…　Ⅲ．长篇小说—美国—现代　Ⅳ．I712.45

中国版本图书馆 CIP 数据核字（2006）第164329号

著作权合同登记号：陕版出图字 25-2006-071 号

图书代号：SK7N0024

费曼的彩虹：物理大师的最后24堂课

作　　者：（美）里昂纳德·曼罗迪诺

译　　者：陈雅云

责任编辑：周　宏

特约编辑：辛　艳

封面设计：木头羊工作室

版式设计：李　洁

出版发行：陕西师范大学出版社

（西安市陕西师大120信箱　邮编：710062）

印　　刷：北京市天竺颖华印刷厂

开　　本：880×1230　1/32

字　　数：110千

印　　张：6.5

版　　次：2007年2月第1版

印　　次：2007年2月第1次印刷

ISBN 978-7-5613-3712-7

定　　价：18.00元

FEYNMAN'S
RAINBOW
费曼的彩虹
001

前言

拿到物理博士学位的美国人，一年不到八百人，全球可能也只有数千人。但是这一小群人的发现与创新科技却决定了我们的生活与思考方式。从X光、激光、无线电波、晶体管、原子能及原子武器，到我们对时空的看法、以及宇宙的本质等等，这一切全都来自这些全心奉献的人士。当物理学家就等于拥有改变世界的庞大潜能，也代表可以分享荣耀的历史与传统。

身为物理学家，最重要的岁月莫过于念研究所与刚从研究所毕业的那几年。在这段期间，你探索自我，发展职业生涯。本书谈的就是我在一九八一年刚从研究所毕业的那段时期，那时我是世界顶尖的研究机构加州理工学院（California Institute of Technology）的教员。

我在那里的经历很特殊。我刚到那里时，觉得茫然害怕，对自己的能力不确定，几乎设想不出自己的未来。但我非常幸运，因为我的办公室刚好跟本世纪最伟大的物理学家之一理查·费曼（Richard Feynman）在同一条走廊上。费曼在一九八六年的航天飞机委员会（Space Shuttle Commission）上成为全世界的头条人物，因为他把O型环（O-ring）浸在冰水里，再拿它敲桌子，证明它变得易碎，他就这样解开了O型环失灵的谜团。这就是杰出的费曼，一个以常识击败电脑模型、以洞察力超越方程式的人。此前一年，费曼令人爱不释手的自传《别闹了，费曼先生》跃登畅销书排行榜。一九八八年，费曼过世后，在大众心中他已成为现代的爱因斯坦。然而在一九八一年，费曼在物理界以外几乎鲜为人知，其实数十年来他早已是物理界的传奇人物。

我的博士论文是探讨无限维的量子理论，这引起一些物理界耆老的注意，并因而获得研究奖学金。但我真的适合这个出了两位诺贝尔奖得主、周遭尽是全球菁英学子的地方吗？我日复一日地到办公室，思索物理学中未解的大疑问。但我没有任何灵感，而且我很确定自己早先的研究纯粹是侥幸，我永远不会有任何重大发现。我突然明白为什么加州理工的自杀率在美国各大院校中名列前茅。

有一天，我终于鼓起勇气去敲费曼办公室的门，并且惊讶地发现他很欢迎我。那时他刚动完第二次手术——那场可怕的癌症最终仍夺走了他的生命——在其后的两年，我们谈过许多次话，我也趁这些机会问他问题，例如我怎么知道自己具备必要的能力？科学家究竟是如何思考的？创造力的本质是什么？从这位人生快走到尽头的著名科学家身上，我终于明白科学与科学家的本质。更重要的是，我对人生有了全新的见解。

本书从一九八一年的冬天开始，讲述我在加州理工担任教员第一年的故事。它描绘了一位年轻物理学家如何寻找自己在世界上的定位，以及这位人生已至暮年的著名物理大师如何用智慧帮助这位年轻人。但本书也谈到费曼在最后几年的故事、他与同为诺贝尔奖得主的莫雷·盖尔曼（Murray Gell-Mann）之间的竞争、以及弦论的开端，今天，弦论已经成为物理学与宇宙学未知领域的卓越理论。

请注意，本书讲述故事，但它并不是小说。在跟费曼的许多次对话中，我都做了摘记和录音，因为我对他实在太敬佩。本书中的楷体字部分就是来自这些笔记、以及一些讨论的誊本。我在本书中所描述的一切，都是我的亲身经历。但我整合和改变了事件，除了历史人物、以及我引用的特定人物外，我变更了其他所有的名字与性格，以便以最贴切的方式来描绘我的经历。

我非常感谢加州理工大学，因为那是个充满活力、令人兴奋的研究环境，也因为在许久前，他们就对我充满信心；在此，也要特别感谢已故的费曼先生，他教导了我许多人生真谛。

FEYNMAN'S
RAINBOW
费曼的彩虹
1
001

ONE FEYNMAN'S RAINBOW

在帕沙第纳市（Pasadena）的加利福尼亚林阴大道上，加州理工校园里一条橄榄树夹道的路旁，有一栋灰色水泥建筑物。一位头发略长、身形消瘦的男士踏进他那不大的办公室。走廊上一些年纪不到他三分之一的学生都停下脚步，惊讶地望着他。其实他今天不来办公室的话，也没有人会说什么，但是没有任何事情能阻止他前来，特别是手术，他不会再因为手术而作息大乱。

外头，明亮的阳光照耀着棕榈树，但已不像夏日时那么灼烈。山丘隆起，由棕转绿，随着比较宜人的冬季来临，植物开始重生。或许这位教授曾经想过，不知道自己还能见证多少次季节轮替；他知道最终病魔仍会夺走他的生命。他热爱生活，但他也相信自然法则，而不是奇迹。一九七八年，当他发现自己罹患罕见的癌症时，他就查阅过相关文献。一般来说，只有不到百分之十的病人有五年存活率，事实上，没人活过十年，而这已经是他的第四年。

大约四十年前，当他跟如今围绕在身旁的学生一样年轻时，他就曾向声誉卓著的期刊《物理评论》（Physical Review）投过一系列的论文。这些论文里有奇特的小图，它们代表思考量子力学的新方法，而且不像物理学的标准数学语言那么形式化。当时没有多少人信服这种新方法，但他心想，如果有一天这本期刊里到处都看得到这种图的话，一定很有趣。结果证明这些图代表的方法不仅正确、实用，也是一大改革，在一九八一年末的那一天，他的图在《物理评论》里无所不在。它们可说是最著名的图，而他则可说是最著名的科学家，至少在科学界是如此。

过去几年，他一直在研究一个新问题。他在学生时代想出的方法，用在量子电动力学的理论上非常成功。量子电动力学谈的是电磁力的理论，电磁力控制绕原子核运行的电子行为和其他作用，而这些电子则是赋予原子化学与光谱性质（亦即它们放射与吸收的光的颜色）的物质。因此，研究这些特殊电子及其行为的学问，就称为原子物理学。但是自从这位教授的学生时代以来，物理学家在所谓核子物理学的新领域已经有长足的进展。核子物理学的研究范围已经超越原子的电子结构，开始深入原子核内质子与中子之间、可能激烈得多的交互作用。虽然质子也受制于控制电子行为的电磁力，但是这些交互作用是由一种比电磁力更强的新力量所控制，亦即名符其实的“强作用力”(strong force)。

为了描述强作用力，科学家发明了一个重要的新理论。它在数学上与量子电动力学有一些相似之处，而它的名称“量子色动力学”(quantum chromodynamics）也反映出这些相似性（尽管它的字根是chromo，但它跟色彩毫无关联)。大体上，量子色动力学是以精确、定量的方式来描述质子、中子与相关粒子，以及它们如何互动，例如它们可能的结合方式及互撞行为。但我们如何从这个理论得出有关这些过程的描述？这位教授的方法主要应用于这个新理论，但实际上仍会遇到复杂的问题。虽然量子色动力学已经有一些进展，但在许多情况中，这位教授和其他人都不知道要如何运用他的图或其他方法，来从这个理论得出精确的数字预测值。当时理论家甚至无法计算质子的质量，尽管实验主义者早就精确测量出这个非常基本的数值。

这位教授心想，或许他可以把剩余的人生岁月，拿来思考量子色动力学的问题，这可是当时最重要的领域之一。为了让自己有研究的精力与意志，他鼓励自己说，多年来尝试解决这个问题却徒劳无功的人，都缺乏他的一些特质。这些特质究竟是什么，他——理查·费曼并不确定：或许是他那古怪的做法吧。但无论这些特质是什么，对他的帮助都很大，至少帮助他赢得了一座诺贝尔奖；其实以他一生中在种种领域的重要突破，就算再颁给他两三座诺贝尔奖也不为过。

同样是一九八〇年，在柏克莱北边数百英里远，一位年纪小得多的年轻人寄出两篇论文，说明自己如何运用新创的方法，解决原子物理学上的古老谜团。他的方法的确解开一些难题，但这当中有个陷阱。他运用想像力所探讨的世界，是一个拥有无限维的空间，也就是说这个世界不仅有上下、左右和前后，还有无数其他方向的阵列。研究这样的宇宙，真的对我们的三维存在有任何用处吗？这个方法能用于其他的研究领域，例如更现代的核子物理学领域吗？这个研究领域应该颇有可为，毕竟这个学生就是因此而得到加州理工的初级教职，并且办公室还跟费曼的在同一条走廊上。

在接获聘任后的那一晚，我想起半辈子前，有一次我躺在床上辗转反侧，猜想隔天初中开学的情形。我想起那时候自己特别担心体育课，还有跟其他男孩一起淋浴的事。其实我真正害怕的是被嘲笑。在加州理工，我的一切也同样容易被人看穿。在帕沙第纳，没有指导教授，没有精神导师，只能自行思索优秀的物理学家所能想到的最艰难的问题。对我而言，没有卓越见解的物理学家就像活死人一样。在加州理工这类地方，这样的人不会有人愿意亲近，而且很快会被解雇。

我有没有卓越的见解呢？或者我根本就不该提出这样的问题？我开始去找办公室在走廊另一边、那位头发稍长、身体消瘦、岁月无多的教授谈话，而这位长者告诉我的话，就是本书的主题。

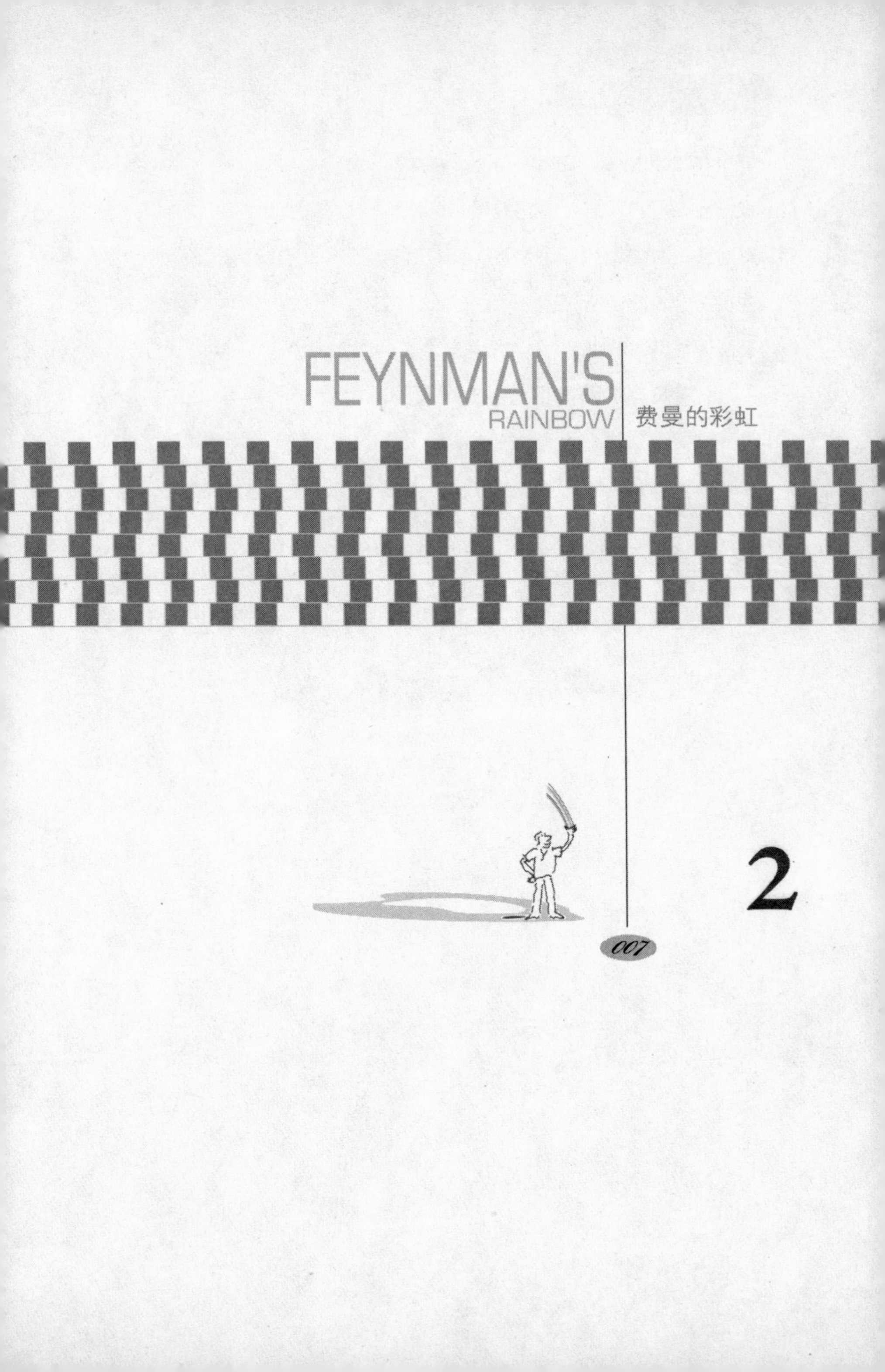
FEYNMAN'S
RAINBOW
费曼的彩虹
2

Two FEYNMAN'S RAINBOW

其实这个故事始于一九七三年的冬天，当时我待在以色列耶路撒冷附近位于山麓小丘的集体农场。我的头发长及肩膀，在政治上倾向和平主义，但我之所以到那里，却是因为一场战争，由于那场战争是在犹太教的赎罪日开打，后来就依开战日之名，命名为赎罪日战争（Yom Kippur War）。虽然在我抵达时战争大致已经结束，但是余波依旧荡漾。军队持续动员，导致劳工严重短缺。我在大二期间休学，前去帮忙。

当年我二十岁，自觉已经是大人，其实我只是个有人引导、备受关照的孩子。那次在集体农场的生活，让我获得许多第一次的经验——那是我第一次出国，第一次照顾家畜，第一次在防空洞里躲空袭，也是我第一次在没有音响、电视、电话和私人浴室这类我们视为理所当然的设备下生活。

在那里，每天晚上几乎都无事可做，顶多只能跟其他的志愿者聊聊天，看看星星，或是到集体农场的小“图书馆”去，那里有十几本英文书。其中有些是物理学的书，显然是农场里某个曾到美国念大学的人捐赠的。我在大学是双主修——化学和数学，认识我的人都认为我以后会到一流的大学当化学教授。我的成绩向来很好，从很早以前大家就知道我的两大兴趣是化学和数学。我在高中修的“进阶”物理学，枯燥又乏味。我不像大家那么重视牛顿——有谁会觉得球从斜坡滚下的速度、或从二楼掉下的重物所受到的力很有趣?那跟我在化学实验室做烟火和火箭，或跟在数学课上向往的弯曲空间（Curved Space)，简直不能比。但是在选择少得可怜的情况下，我最后还是翻开了那些物理书。

其中有一本平装书《物理之美》（The Character of Physical Law)，作者是我好像在哪儿听过的人——理查·费曼。那本书是他在二十世纪六十年代的讲学内容，我翻开来看，他在没有运用任何数学的情况下，解释了现代物理学的原理，特别是量子理论。

其实“量子理论”并不是关于某一对象的专门理论，而是一种理论类型。任何以“量子假说”为基础的理论都是量子理论，量子假说是蒲郎克（Max Planck）在一九〇〇年提出的，内容陈述特定的物理量（例如你的能量）仅能有特定的离散值。举例来说，位于地表特定高度时，你具有重力位能。在空气阻力不计的情况下，如果从该高度落下，那就是你撞击地表时的能量。根据量子重力理论(quantum theory of gravity)，你的重力位能不是任意值，而是离散的。在仅比地表稍高的位置，会对应一个最小可能能量。最近在一个研究中子的实验中，已经测出对中子而言，这个最小能量对应的高度大约是万分之五英寸。如果你的尺只有一般的精确度，大概不可能测出这个限制。然而，在研究中子、原子核或原子时，量子效应很重要。

不含蒲郎克量子假说的理论称为古典理论（classical theories)。在一九〇〇年前，物理学的所有理论显然都是古典理论。在大多数的情况，古典理论很够用，除非你开始探讨原子或更小尺度的行为差异。而其后百年的大半岁月中，这也是大多数物理学家的焦点所在。

在二十世纪的头几十年，物理学家努力找出蒲郎克量子假说的重要影响。其中之一是著名的测不准原理（Uncertainty Principle），它指出我们无法同时精确得知特定的两个值。例如，如果以极高的精准度决定某物体的位置，则无法非常准确地得知它的速度。同样地，对于我们日常碰到的大物体，这些限制不会引起注意，但是对于原子的构成要素，这些限制会造成极大的差异。

量子理论另一个重要影响是物理学家所谓的“波粒二象性”（wave-particle duality），它指出在特定的情况下，粒子（例如电子）会表现出波的行为，反之亦然。例如，如果你连续朝墙上的微细狭缝射击电子，它们在通过细缝时会散开成环状波纹，如同通过狭缝的水波。如果在墙上开两道狭缝，你会看到干涉波纹，跟两道水波相遇时的波纹类似。一个呈现波性质的电子是在空间中散开的电子，它的行为仿佛某种无所不在的介质的激发，而不是一个离散的物体。另一方面，波粒二象性也告诉我们，在一些情况中，能量的波会表现出类似粒子的行为，其中一个例子就是光。多年来，我们大多认为光是一种类似波的现象。例如它在穿过透镜时产生曲折、或在穿过棱镜时分光的现象。但它也具有粒子行为，是一个离散的区域化物体，称为光子。光的这个概念证明是了解光电效应的关键，在光电效应中，特定金属在被光子撞击后会射出一个电子。爱因斯坦是第一个接受量子假说、视之为基本物理定律的人，他在一九〇五年一篇著名的论文里，从这些观点解释光电效应特定的神秘性质。（他是因为这篇论文而不是具有争议的相对论，在一九二一年荣获诺贝尔奖的。）

今天，我们有量子版本的古典理论，例如量子电动力学，也有一些新的量子理论，描述在蒲郎克时代甚至不知道的作用力，例如量子色动力学。但这股量子“化”的趋势有一个例外：重力理论。至今还没有人想出要如何将量子假说跟爱因斯坦的重力理论、也就是广义相对论相结合。

量子力学是一个奇妙的世界，我自然会对它充满好奇，不过我总是觉得教科书枯燥乏味、太过专业。但是费曼却让它变得不可思议，奇妙无比。我的兴趣被勾起，渴望看到更多的书。

那里还有三本费曼的书，一起收录在《费曼物理学讲义》（The Feynman Lectures on Physics）里，内容是他在加州理工学院为一门概论课程所做的讲课内容。书里有张费曼的照片——照片上，他快乐地敲打着拉丁小鼓。这些书跟我看过的任何教科书都不同。它们就像在跟人聊天，非常有趣，让人觉得好像费曼就在房间里跟你说话。他在探讨力学时不仅谈到牛顿，也谈到淘气阿丹（Dennis the Menace，美国著名畅销连环画人物）。在气体动力论（kinetic theory of gases）的章节里会出现诸如“我们究竟为什么挑现在讨论这个主题”之类的问题；在探讨光的章节里，有时又会出现离题的话，例如“现在对于蜜蜂的视力已经有一些有趣的发现”。但是费曼不只使物理学变得奇妙，他虽然没有明确指出，却让人觉得物理很重要。仿佛有想法的物理学家可以独力改变世界和人们的世界观。我发现我在用拖拉机载鸡蛋、赶牛或在公共厨房削马铃薯时，脑海里尽是费曼那些书里的问题与争论点。

那年夏天，等我回到芝加哥时，已经决定要研究物理学。

集体农场那些人看到《物理之美》对我的重大影响，决定让我带走它，但我得拿一条蓝色旧牛仔裤做交换。在快看完时，我在一段文字下面划线：“我们非常幸运，能生活在继续有所发现的年代。这就像发现美洲一样——你只能发现它一次。在这个年代，我们仍在发现自然的基本定律，这样的日子永远不会再现。”我暗自许下诺言，有一天我一定会有所发现，而且我一定要见到费曼教授。

FEYNMAN'S
RAINBOW
费曼的彩虹
3

THREE
FEYNMAN'S
RAINBOW

一九八一年秋天。自我从以色列回来后，发生了许多事。我决定增加物理学为主修科目之一。毕业后，我到柏克莱去念研究所，拿到博士学位。我父母来参加我的毕业典礼，那是我们全家最后一次一起参加我生命中的重要大事，我的孩童时期也就此结束。

由于我的博士论文还有一些正式手续没有完成（其实就是要把它写完），所以等我抵达加州理工时，学期早已开始。加州理工是一所私立学校，所以里根在从州长升任总统前，对州立学校、尤其是柏克莱大学删减预算的做法，对它并没有影响。它所获得的人均捐款在全美的大学中属一属二，而它也不吝展现这个成果。它的校园很美，也很宁静。由于大学部只有数百名学生，相较之下，校园算是很大，而且大多坐落于同一区，每边各有几个街区，但都没有城里的街道贯穿。低矮的建筑物之间有宽敞的人行道，间或有修剪整齐的草坪、灌木和枝干虬结的灰色橄榄树，许多建筑都是地中海风格。这里令人感到宁静、安全，可以自由地忘掉外面的世界，把注意力放在实现构想上。

我觉得能在学术物理界找到一份工作，无论是什么样的工作，都是一种殊荣。人们有时会瞧不起学术界，因为薪水相对较低。但是我看过许多“成年人”整天为自己不喜欢的工作忙碌，只为累积自以为需要的事物，数十年后才幡然悔悟自己“浪费的”岁月。我也看到我父亲长年辛劳地工作，只为使家里的收支平衡。因此，我早就发誓要过更好的生活。我觉得自己所能争取到最有价值的资产，就是做自己喜欢的事。

起初我对于能在大学任职感到欣喜若狂，何况这是一所精英大学——也是我的偶像费曼所在的学校。此外，这也是一份理想的工作，特别是我拿到负有声望的多年研究奖学金，拥有完全的学术自由。但是随着就职日逐渐逼近，那份狂喜开始退去，取而代之的是一种奇怪的想法：加州理工的人可能真的对我期望很高。在我的博士论文被正式接受前，我只是一个有前途的学生。我的工作是提出问题、学习，犯一些令教授莞尔的天真错误，让他们想起自己那段无忧无虑的年轻岁月。现在我突然成为教员，学生会来找我，向我学习。一些名教授会在茶水间含糊地低语，希望听到一些慧黠的回答。著名物理学期刊的编辑会特别腾出位置，刊载我最新的重大发现。

为了减轻自己的压力，我特别发展出一套策略：不要期望太高，保持低调，而且除了跟费曼同型的几位人物以外，最好其他人都跟我一样平凡。

我到校的第一天，就被唤进系主任的办公室。加州理工把物理系、数学系和天文学系合为一个学系，所以叫我的这个人等于是三个系的主任。我实在不知道一个地位这么崇高的人，为什么要见我这样的人。我猜，我之所以被唤进来，是因为他们发现研究奖学金给错人了吧。我想像他会说：“对不起，我的秘书把聘书寄错了。我们想请的人叫里昂纳德·曼·罗迪诺，而不是里昂纳德·曼罗迪诺。我想你一定听过他，就是哈佛那位罗迪诺博士。你也知道，你们的名字这么像，要犯这种错有多容易。”在我的白日梦里，我承认这的确是很容易犯的错，于是开始留意别的工作。

我走到系主任办公室，看到里面坐着一位头发开始变秃的中年人，手里夹着一根烟。后来我听说他有溃疡。他露出微笑，站起身来，招手叫我进去，烟头在空中留下一缕烟痕。他的声音带着德国腔，听起来很有权威。

“欢迎，欢迎，曼罗迪诺博士。柏克莱的事都搞定了吧？我们一直很期待你的到来。”我们握了握手后双双坐下。

我知道他讲这些话是为了鼓励我，但是管理物理、数学和天文学系的主任期待我的到来，实在跟我原本想保持低调的策略不符。不过话说回来，至少他没一开口就告诉我研究奖学金发错了人。我努力放轻松，结果反而更紧张。

“还喜欢南加州吗?”他靠向椅背。

“我还没机会到处看看。”我说。

“当然，你才刚到嘛，校园怎么样？去过学术俱乐部了吗?”

“我今天就是在那里吃的午餐。”其实那应该算是早餐，我最近都忙到很晚才睡。

学术俱乐部就是教职员俱乐部，它是一栋有着五十五年历史的建筑，别人告诉我，它属于“西班牙文艺复兴风格”。俱乐部里用了许多上好木材装潢，挂着天鹅绒窗帘，抬眼可见精美的天花板。我听说楼上还有一些供宾客使用的客房。我觉得它很像高级休闲胜地，但也不是很确定，因为我从没去过所谓的高级休闲胜地。

“你知道爱因斯坦在到普林斯顿前，曾在那里待过两年吗?”

我摇头。

“有些人说他之所以会到普林斯顿，是因为我们拒绝聘请他的助手。如果那时我在这里，我们绝不会犯这种错误。”他低声笑了起来。

我们闲聊了一会，他的秘书走进来说有电话找他，但他回答在我们谈完前不接电话。然后，他研究似的看了我一会。

“我猜你正在想自己怎么会来这儿?”

他会读心术吗?

“因为你们喜欢我的研究工作?”

“我不是指这所学校，而是指找你来我办公室的事。”

“噢……这个啊，我正在想是不是……”

“我直接告诉你好了。我找你来是因为你在加州理工有一个特殊的职位，也因为这所学校是一个特殊的地方。这代表你应该获得特殊的欢迎，也就是由我来亲自欢迎你。”

在其他人看来，这番欢迎词应该充满善意，但我忍不住觉得他话中有话，后面好像还有一句“还有，记住，我随时都在注意你，看我们是不是请错了人”。

“哦……谢谢。”我低声说。

他弹了一下烟灰，又靠回椅背。

“你对这所学校知道多少?”他问道。

我耸耸肩。“我知道这里的物理系。”

“那当然，我想你已经发现，迪克·费曼和莫雷·盖尔曼这两位物理巨匠的办公室，跟你的办公室同一条走廊。”

其实这对我倒是新闻，因为我还根本不知道自己的办公室在哪儿。

“但是等你更了解我们学校以后，你会发现它有很多你不清楚的悠久历史。对了，你可能已经知道，莱纳斯·鲍林（Linus Pauling）就是在这里发现化学键的本质。但你知道芮氏和古腾堡也是在这里发明芮氏地震等级的吗？还有，电脑先驱戈登·摩尔（Gordon Moore）是在哪里拿到博士学位的？”

“我不知道。”

“都是在这里。你是物理学家，一定知道反物质是在这里发现的。但是你可能不知道现代航空原理也是在这里想出来的，还有我们首度确定地球的年龄也是在这里。你可能也不知道罗杰·史培利（Roger Sperry）是在这里发现左右脑各管不同的功能，左脑管语言，右脑管视觉和空间功能。其实分子生物学也是在这里发明的，其中一位重要人物就是麦克斯·戴波克（Max Delbruck），他跟你一样是物理学家。后来他在一九六九年，因为对分子生物学的贡献荣获诺贝尔奖。”

他再度轻笑。我觉得这些话没什么好笑，但还是挤出一丝笑意。

“你知道我们学校拿到多少个诺贝尔奖吗？”

我摇头，我从来没想过这件事。

“十九个。相较之下，比我们大五倍的麻省理工只拿到二十个。”

我心想，不知道他们有没有追踪过这里有多少凄惨的失败者。

“我为什么要跟你说这些？因为即使在我们现在说话的同时，这里的人正在做着未来大有可为的研究。我建议你到处走走，看看别人在做什么，你八成会很惊讶，我也希望这样能激励你。从今天开始，你也是我们这个伟大的智能传统的一员。”

就算我先前有过一丝的自在感，现在这些天才史也听得我晕头转向。我很想告诉他，这些话让我觉得我好像得在六个月内证明自己，否则一切就玩完了。但当时我觉得坦白说出来可能不妥，所以只说了一句：“我会努力不辜负你们的期望。”

他热忱地接受了我绝望的期望：“我相信你一定没问题！这是我们给你研究奖学金的原因。大多数的博士后研究员来这里是要接受某位教授的指导。但你不是，曼罗迪诺博士，你是完全自由的研究员。你不必对任何人负责，只要对你自己负责。只要你愿意，你可以选择教书，大多数的博士后研究员都没法选择，或者你也可以选择不教书。你可以做物理学方面的研究，或像戴波克一样研究生物学，或任何一个你想研究的领域。如果你乐意，甚至可以设计帆船！一切都由你决定！我们给你这份自由，因为我们认为你是精英中的精英，而且我们有信心，在拥有这些自由后，你一定会有伟大的成果。”

他这番鼓励的话是由衷的，也令人动容，但对象好像弄错了。我在离开他的办公室时，仿佛置身以前的某个梦境。在梦里，我正要搭电梯到我在柏克莱的办公室，但我突然发现自己没穿衣服——那天早上我忘了穿衣服。所以我只有两个选择：按暂停钮，这样可以延后我出电梯的时间，但警铃会响，引起注意。或者我可以等电梯的门打开，设法避开别人，赶快奔向自己的办公桌。如同在梦里，我在真实生活中所做的选择也是后者。

过了一段时间，有一天我正在办公室里仔细思考我凄惨的处境时，有人刚好拿香槟来给我，让我有机会麻痹自己。那一天整个校园都在大肆庆祝，因为史培利因左右脑的研究而荣获诺贝尔生理医学奖的消息刚刚发布。现在，在诺贝尔奖的数目上，加州理工和麻省理工已经打成平手。我一边的大脑感到光荣又兴奋，另一边的大脑却惶惶不安，仿佛我现在的压力指数又升高了一级。

FEYNMAN'S RAINBOW 费曼的彩虹

4

FOUR FEYNMAN'S RAINBOW

等我终于看到自己的办公室时，我发现系主任提到的两大物理巨匠之一，莫雷·盖尔曼的办公室就在我隔壁。几天后，一场研讨会结束时，与会者都走向摆放茶点的桌子，我向他自我介绍，并在茶点桌旁跟他谈了一会。他跟我从他照片中得到的印象一模一样：还是打着那条有饰扣的招牌波洛领带。我告诉他我的姓名，但他并没有说他的。（当你这么有名时，又怎么会多此一举呢?）但他的确重复念了一遍我的全名，而我却没听出来，他说那才是它的“正确”（俄文）发音，还说明了它的语源。我倒是没有问他那独特的姓是打哪儿来的，反正大家几乎都管他叫莫雷，后来我发现他姓氏（Gell-Mann）中的那条连字符是他父亲自己的发明。而称呼费曼为“迪克”（Dick，Richard 的昵称）的人则很少。

莫雷的见解已经主宰物理学界二十多年，但他最著名的成就是在六十年代发明的一个简洁的数学系统，对数十种已知亚核粒子（subnuclear particle）的性质进行分类与解释。除了传统较为熟知的核子成分（质子和中子）以外，这些亚核粒子会在瞬间衰变，而且是在近几十年陆续被人发现的。以质子为例，它们唯有在互相撞击时才出现。为了解释他在繁多的亚核粒子当中发现的数学规律，莫雷后来提出，质子、中子和其他的亚核粒子都具有仅由一些更基本的粒子、按不同组合所构成的内部结构。这些更基本的粒子是“亚亚核粒子”（sub-subnuclear particles），亦即在构成原子核的粒子内的粒子，莫雷称之为夸克①（quark）。从来没有人看过个别的夸克，但是最终物理学家逐渐接受莫雷的理论。这使他与发明元素周期表的门捷列夫并列。如同莫雷的系统，元素周期表也是根据共同的性质，将化学元素分类。而且如同莫雷的系统，元素之间的规律最后也是从内部结构的观点来解释，亦即原子内部的粒子结构，这种粒子稍后被命名为电子。

莫雷因这项研究而荣获诺贝尔奖，并且成为战后时期影响力最大的科学家之一。然而，他似乎有自卑情结，总是急于炫耀自己的才华。无论你跟他谈粒子加速器还是化粪池，他都可以、而且也会告诉你它们的运作方式、重要规格以及最新模型等值得注意的地方。他以显然“正确”的方式念我的名字，而不是一时的心血来潮；他似乎总会找机会说外国字，例如城市的名字，以便炫耀他能把它们念得像当地人一样地道。前一刻你还觉得自己是在听土生的纽约客说话，但下一刻他的脸会突然扭曲，然后你会觉得自己像是在跟魁

① 20世纪60年代，美国物理学家莫雷·盖尔曼和G. 茨威格各自独立提出了中子、质子这一类强子是由更基本的单元——夸克组成的，很多中国物理学家称其为“层子”。它们具有分数电荷，是电子电量的2/3或-1/3倍，自旋为1/2。“夸克”一词是由莫雷·盖尔曼改编自詹姆斯·乔伊斯的小说《芬尼根彻夜祭》（Finnegan's Wake）中的诗句。最初解释强相互作用粒子的理论需要三种夸克，叫做夸克的三种味，它们分别是上夸克（up，u）、下夸克（down，d）和奇异夸克（strange，s）。1974年发现了J/ψ粒子，要求引入第四种夸克粲夸克（魅夸克）（charm，c）。1977年发现了Υ粒子，要求引入第五种夸克底夸克（bottom，b）。1994年发现第六种夸克顶夸克（top，t），人们相信这是最后一种夸克。——编注

北克人、俄罗斯人或中国人说话。有一次有位学生在放假时学了一些玛雅语，决定称称莫雷的斤两，看他是不是真的如他所宣称的会说玛雅语，他对莫雷说了一个句子，请他翻译，结果反遭莫雷斥责：那位学生说的句子是“北部低地”地区说的语言，而莫雷说他会的是“南部高地”的语言。

费曼和莫雷多少算是朋友，至少时友时敌。莫雷就是为了跟费曼同校，才拒绝了其他大学的工作机会，选择到加州理工。在二十世纪六十年代，对莫雷推测存在于每个中子和质子内、但从未成功分离的夸克，提供重要理论证据的人也是费曼。

当时，这是物理学上的一大争议：如果无法分离出个别的夸克，又怎能说夸克真的存在？这些粒子中的粒子是不是只是一个方便的数学概念？这些问题都属于一个更大的哲学问题：用现代粒子加速器所获得的实验结果，有多少是直接观察、又有多少是就数值资料做出的一致解释？毕竟，电子和质子这类普通粒子已经被“观察到”，尽管我们只能透过它们在底片上留下的轨迹，或盖革（Geiger）计数器的咔哒声等间接证据“看到”它们。就更多的诡异粒子而言，它们存在的证据甚至更不直接：通过观察与其他粒子散射有关的资料图，从统计的微缩胶卷画面上的光点来推测它们的存在。假设火星上存在文明，并且能够获得相同的观察结果，那么会对构成这些观察结果的“存在”（reality）本身产生截然不同的概念吗？有一个称为“实证主义”的哲学学派，藉由“唯有可直接感知的事物才可以认为存在”的主张，来避免这类议题。现代物理学已经远远超越实证主义的视野。但对许多人而言，认为一个无法观察到的粒子（例如夸克）“存在”，似乎又过头了点。在遇到这类议题时，费曼会说医生禁止他讨论形而上学。但是在六十年代晚期，却是他发表的研究结果，证明可以藉由质子具有由看不到的亚粒子所形成的内部结构的假设，来解释针对质子行为的特定实验的观察结果——大多数物理学家将这一间接"观察结果"视之为"夸克"存在的证据。讽刺的是，一向谨言慎思的费曼却不这样这为。夸克有许多与他调查的物理过程无关的特性。因此不能从他的计算结果下结论说，他的理论中所谓看不见的粒子也具有那些性质，亦即不能下结论说它们就是夸克。在他看来，莫雷的理论有可能是错误的，那些存在于质子内的看不见的粒子，还有待发现更多特性。基于此，费曼拒绝称他理论中的内部粒子为夸克，而是称它们为"部分子"（parton）。这惹恼了莫雷，一方面是因为费曼拒绝认可他的研究成果，另一方面是因为部分子的英文是拉丁字根与希腊字根的结合（Part 为英文字根，on 为希腊字根）。但这就是费曼：在描述自然时态度严谨，在运用语言时又满不在乎。

虽然费曼蔑视哲学研究，但这两人的不和，正是源自于他们在哲学观上的差异。费曼经常说世上有两种物理学家：巴比伦人和希腊人。他是指这两种古文明代表相反的哲学观。巴比伦人使西方文明在了解数字和方程式、以及几何学上跃进一大步。但我们却将数学的发明归功于年代较晚的希腊人，特别是泰利斯（Thales）、毕达哥拉斯（Pythagoras）和欧几里得（Euclid）。这是因为巴比伦人只在乎某个计算方法是否可行，是否能充分描述真实的自然情况，而不在乎它是否精确，或是否能用于任何范围更广的逻辑系统。相反地，泰利斯及其希腊弟子则发明了定理和证明，而且一个命题要为真，就必须是明白陈述的公理或假设体系下的精准的逻辑推理（logical consequence)。简言之，巴比伦人重视现象，而希腊人重视潜在的秩序。

这两种方法的力量都可以很强大。希腊方法具有数学逻辑机器的全副力量。这一类物理学家经常在发展理论时受到其中数学之美的引导，而这也导致许多卓越的数学应用，例如莫雷的粒子分类。巴比伦的方法则允许一定程度的自由想像力，让你抛开严谨和理由，顺从自己的本能或直观（即你对自然的“直觉”）。这种原则也已经促成一些伟大的成就，而且是直观和“自然推论”的成就，换句话说，这种推论主要以对自然过程的观察和解释为根据，而不是以数学为驱动力。事实上，采取这种思维方式的物理学家有时会违反数学的形式规则，甚至根据他们对实验数据的了解，发明奇怪（且未经证实）的崭新的数学概念。在某些情况下，这种做法使数学家被牵着鼻子走：不是要验证物理学家为证明构想而采取的创新算法，就是要调查为什么物理学家“没有根据”的算法可以获得相当精确的答案。

费曼认为自己属于巴比伦风格。他靠对自然的了解来引导自己。莫雷比较偏向希腊风格，想把自然分类，把效率高的数学法则用在基本数据上。

尽管费曼因为拒绝把质子的内部成分视同夸克而惹恼了莫雷，但这正是巴比伦风格的思想家会做的事。费曼藉由指出内部结构似乎存在来解释某些数据的存在，但从那些数据中，他看不出有任何强而有力的理由，能进一步证明这个内部结构就是莫雷提出的结构。对希腊风格的思想家来说，这样的认同会和高明的数学分类系统相连，而这正是之所以要认同的有力理由。

尽管费曼把这些方法描述为巴比伦风格和希腊风格，但在历史上，许多其他的人物和运动也有类似的哲学状态，例如在希腊人柏拉图和亚里斯多德之间。柏拉图认为在物质世界的多种现象下，潜藏着永恒不变的形式。运用数学词汇来描述这些形式，正是莫雷这类物理学家的目标。亚里斯多德认为柏拉图是南辕北辙。在他看来，对自然做出唯心（亦即抽象）的描述是荒诞的，或许只是一种偷懒的做法，人们真正应该关心的，是以感官察知的现象。他跟费曼一样崇敬的是自然，而不是（可能）潜藏在其中的抽象概念。

对我来说，费曼的这种区别似乎也反映出史培利关于两个半脑的理论。寻求秩序和组织的左半脑是莫雷、希腊人、柏拉图，而察知模式与强调本能的右脑是费曼、巴比伦人和亚里斯多德。基于大脑本身的差异，难怪他们在方法上的差异可以延伸至物理学以外，连生活方式都有所差异。这是一种生活方式的选择，而当时的我还没有意识到，我也将很快面对这一抉择。

在许多方面，费曼是莫雷在智识上的强敌。尽管到了一九八一年，费曼还没有被流行媒体发掘，但在物理界，数十年来他的光芒一直比莫雷灿烂得多。费曼的传奇故事始于一九四九年，当时他年仅三十，就为《物理评论》写了一系列的论文。自从牛顿开始，我们都是由写微分方程或微分方程组，来发展物理理论。然后我们开始解这些微分方程，以便计算这个理论的结果；量子理论也不例外。比方说，为了找出量子电动力学（带电粒子的量子理论）对电子未来行为的预测，二十世纪四十年代的物理学家会先描述它目前的状态（即“初始状态”）。这个数学函数包含描述量的资讯，例如电子在一个过程或实验开始时的动量与能量。理论家的目标是在过程或实验结束时，描述这些相同的量（换句话说，就是计算所谓的“最终状态”），或至少计算出它达到某个最终状态的概率。为实现上述目标，物理学家会解微分方程，但费曼的量子理论公式不需要解微分方程。

按照费曼的方法，要算出一个电子从特定初始状态变成某个最终状态的概率，你必须利用一些特定的规则，将电子从初始状态变成最终状态时，经历的所有可能的路径或历史叠加起来。在费曼看来，这就是量子世界与日常（或古典）世界的不同。在古典理论中，一个粒子会遵循明确的路径，如同物体在日常世界中表现的那样。但奇异的量子世界之所以会出现，原因就在于我们必须将额外的路径纳入考量。就大型物体而言，你把这些路径相加，得到的只是其中一条重要路径——也就是我们熟悉的古典路径，因此你不会注意到任何量子效应。但是对次原子粒子（例如电子）而言，我们不能忽略电子旅行到宇宙远方的路径，或是在时间中来来回回的曲折路径。量子电子跳着宇宙之舞在宇宙中飞射，从现在到未来，又到过去，从这里到宇宙中的任一地点，然后回来。在历经这些路径时，它完全无视传统的运动法则，而且行为就像不受自然约束和控制似的——换同费曼的说法就是，甚至“事件的时间顺序……也不重要”。然而，不知何故，就像和谐的乐音一样，所有这些路径在相加后，最后就是会形成实验家观察到的最终量子状态。

费曼的方法很激进，而且初看很荒谬。在科学主导的文化体系下，我们期盼秩序。我们已经发展出稳固的时空观念，亦即时间是从过去到现在，再到未来。但是根据费曼的说法，隐藏在这个秩序下的是不遵循这类法则的过程。如同以往，费曼永远不会讨论他理论中形而上学的那部分内容。后来，等我对他的认识愈来愈多后，我觉得自己可以理解为何他可以构思出这种理论：因为他本身的行事风格就像电子。

费曼的方法对当时的物理学家来说很难理解和接受。而他为了统计这些路径发明的“路径积分”（path integrals）方法，既没有经过数学的检验，有时又定义不清。他用于从自己的理论中产生答案的图技术（今日称之为“费曼图”，Feynman Diagram），是物理学家从没看过的。物理学家需要的是证据，他们要求他从量子理论的一般公式开始，给出他得出这公式的数学推导过程。但他是运用本能和自然推论，再加上反复试验，才发展出这套方法。他无法证明它。当他在一九四八年的一场会议上提出这个方法时，遭到尼尔·波尔（Niels Bohr）、爱德华·泰勒（Edward Teller）和保罗·狄拉克（Paul Dirac）等明星物理学家的严厉抨击。他们要求看到希腊方法，但费曼却是不折不扣的巴比伦风格。然而到最后，他们仍然无法忽视他：他可以在半小时内完成他们得花上数月才能做好的理论计算。

最后，另一位年轻的物理学家傅利曼·戴森（Freeman Dyson）证明了费曼的方法与一般方法的内在关系，它才渐渐为人们理解。而包括莫雷在内的一些人则推测，同牛顿的微分方程相比，费曼的方法（路径积分与费曼图）是否并不足以作为所有物理理论的基础。

虽然就物理学家的身份而言，费曼是个传奇人物，莫雷相对平凡些，但在某些方面，莫雷在引导这个领域的方向上，影响力却比费曼要大。这是因为不断追寻秩序与控制的莫雷，总是在寻求扮演领导者的角色。费曼则会避免领导角色，他更愿意让自己的研究来说明一切。

我的容身之处又在哪里？

我本身的成功来源是我的博士论文，以及我和柏克莱大学的希腊籍博士后研究员尼可斯·潘帕尼可拉欧（Nikos Papanicolaou）共同撰写的数篇论文。如同费曼，尼可斯和我探究的也是连接量子世界与古典世界的方法：我们发现只要在比现在熟悉的三维空间多出许多维的宇宙，量子世界看起来就跟我们的古典世界类似。然后我们证明，如果世界有无限多维，原子物理学上的特定问题将可轻易解决。最后，我们证明如何弥补无限维的错误假定，并且找出精确且跟我们这个3D世界有关的答案。在混沌澄清后，我对我们这种研究方法的精确度感到惊异。最重要的是，我对我们的原创力非常引以为傲。

大约一年前，在半技术性的专业期刊《今日物理学》（Physics Today）上，年轻的普林斯顿教授爱德华·维顿（Edward Witten）在他发表的一篇文章中引用了我们的研究成果。在其后的十年中，维顿将取代费曼的位置，成为物理界的头号人物。在那篇文章后，其他人也开始引用我们的作品，后来引用次数增加至数十次。等引用次数达到一百次后，我就没再统计这方面的数据。我也发现别人对待我的态度多了一份敬重。我的博士论文指导教授突然对我的研究细节产生兴趣。我大学时代的一位老教授也突然写信向我问候。教授们似乎认为我说的话可能值得一听。等到我要思考自己接下来要做的事时，一些不好的思绪开始浮现，我对自己产生了怀疑：我是否能再次缔造成功？接着我就拿到加州理工的工作机会。

无论是希腊、巴比伦，还是地道的芝加哥的风格，我都知道得找到自己的风格和研究物理学的方法——也要找到自己的生活方式和态度。但首先我得克服心里那种认为自己的发现只是侥幸，我的成功只是场骗局，或是这种幸运永远不可能再来的感觉。我在这种心理状态中煎熬了数个星期，经常瞪着期刊看了好半天，却几乎没有翻页，也没有任何灵感。我去参加研讨会，却无法把注意力放在主题上。我会在走廊上跟博士后研究生聊天，却几乎连最简单的思绪都跟不上。

在家里，我的夜晚都是在跟两位邻居的瞎混中度过的，他们从大麻中找到自己在这个世界的位置。其中一位瘦瘦矮矮的邻居叫爱德华，加州理工物理系毕业，他抽大麻是为了打发时间，也为了缓解他因研究武器而造成的良心不安。另一位邻居叫雷蒙，但大家都称他“雷”，他是清洁工人，抽大麻是为了忘掉吸了一整天的气味。我坐在他们旁边：一位二十七岁、曾红极一时的年轻人，紧张地想保守其实他根本从未成功过的秘密。我们一起看重播的《神探可伦坡》(Columbo) 或《洛克福德档案》(The Rockford Files)，毫不怀疑无论我们有没有注意看，那些笨手笨脚的侦探总是能捉到坏人。

冬天来了，随之而来的是新学期和新的一年。我看到刚动完手术的费曼穿过走廊，进出于他的办公室。我心想，如果有人可以帮我脱离全无创造力的泥淖，这人非我的偶像费曼莫属。他的著作启发了我对物理学的兴趣，现在命运又引领我进入离他只有数门之远的科系。我只要走几步路，敲他的门就可以了。幸好，尽管我天真单纯又缺乏自信，但我总是勇气十足，或是如我父母所说的“厚脸皮”。就算是活传奇，总是可以接近的。因此，对待心理学比哲学更加不屑一顾的费曼，很快就成为我的首要导师，指引我了解科学家的哲学观与心态。

FEYNMAN'S RAINBOW 费曼的彩虹

5

FIVE
FEYNMAN'S
RAINBOW

我第一次仔细端详费曼时，发现他的模样跟我心中的传奇人物不太像。费曼六十三岁，大约比莫雷大十岁，但他看起来衰老憔悴，长而灰的头发日渐稀疏，步伐无精打采。以我当时的心态来看，我看起来可能跟他有点相似，但费曼的萎靡跟我不同。那时大家都已知道，费曼的病已到晚期。他刚刚动了一次长达十四小时的马拉松手术，把扩散至肠道的肿瘤割除。这是他第二次动癌症手术。

我走到他的办公室，敲门，然后自我介绍。他礼貌地欢迎我。我自己没有面对死亡的经验，但我很难不同情他，就像在街上看到残障人士时的感觉。想到自己正跟一位濒临死亡的人谈话，让我有些不自在。奇怪的是，我发现他本人似乎没有受这件事影响。我马上就发现，他眼中仍然闪现着生命力。尽管他罹患晚期癌症，但精神依旧矍铄。

虽然我当时紧张地要命，但仍很惊讶他给我的印象。他不像莫雷那样展现出遥不可及的耀眼才华；事实上，他身上没有一丝伟大的味道。如果我在街上碰到他，又没见过他的照片，我可能会以为他是布鲁克林区退休的计程车司机。我有一种感觉，他年轻时八成性欲旺盛。我们聊了几句后，他咕哝了声“待会见”，就把视线移回工作上，于是我就离开了。

几天后，我在劳瑞森实验室（Lauritsen Lab）的外面碰到他。

“曼罗迪诺，对吧?”他记得我的名字，让我觉得受宠若惊，也很高兴他没有用奇怪的俄文发音来念我的名字。我问他要去哪里。

“自助餐厅。”

“自助餐厅，还是学术俱乐部?”我问。要知道莫雷和大多数教职员都偏好格调高雅的学术俱乐部，那里的人通常都身穿西装，服务生则是学生，但自助餐厅不同，装潢平凡，食物跟军队餐厅里的差不多。人们送它一个形象的绰号——“油腻”（greasy）。费曼看了我一眼，学术俱乐部显然不符合他的风格。他邀我一起去“油腻”。

在那个年代，加州理工的自助餐厅准备汉堡的方式很新奇。他们会在早上十点左右先把数十个汉堡烤好到半熟时，把它们堆在烤架后侧。如果你点汉堡，他们就会拿下其中一个，把它烤至全熟。我发现，这种烹饪技巧让厨房变得很像微生物实验室，差别只在于他们的汉堡可能比实验室里所用的无菌洋菜还便宜。我们过去时已经两点，接近关门时间，而那些半成品汉堡早已保温了好几个小时。那时对加州理工的生活方式还不很熟悉的我，点了两个汉堡，结果一个上面有苍蝇，另一个有洋葱圈。对我来说，那是当天的早餐。

我们坐下来。费曼在“油腻”时通常会引来人群，但这次时间太晚，那里已经没什么人了。我们沉默地坐了一会。我努力想说些讨巧的话来打破僵局，但脑袋里一片空白。那感觉跟多年后我在戛纳拿到电脑游戏奖时的感觉很像。当时我站在舞台上，是数千人注目的焦点。我说了几句事先准备好的话后就准备走下舞台，但是那位担任主持人的美丽的法国电视名人，却突然问了我一个问题。我完全不知道该怎么回答，甚至连自己的名字都想不起来，那种感觉就像聚光灯入侵了我的神经回路，让我无法机智地思考。当时我真希望自己够潇洒，能用微笑迷倒众人，挥挥手，像明星一样走下舞台。结果我却困窘地站在那里，最后她只得自己回答那个问题。

但费曼让我轻易脱身。他先看看我的餐盘，然后又看着我，开始微笑。

“以前只要是我喜欢的食物，”他说，“我都会吃很多，而且是多到不舒服的地步。那真的很笨，现在我再也不会那样了。”

“我想我可以跟你学到很多。”我说完后才意识到这话听起来有多蠢。

“我只知道怎么做对我才好，至于其他人，我可不知道。”

又是一阵沉默。我的脑袋开始快速运转。我知道没多久会有其他人过来，而我会失去向他请教的机会。我很想问他：“我怎么知道自己有足够的才智待在这里？”

但我说出口的却是：“最近看了什么好书吗？”

他耸耸肩。

“我一直在看有关发现过程的一些东西。”我努力寻找话题。那时我正在看亚瑟·寇斯勒（Arthur Koestler）的《创举》（The Act of Creation）。

“有学到什么吗？”他问道，看上去很感兴趣的样子。这就是费曼，对什么都感兴趣。

“我一直没办法让我的研究上轨道，所以我想这本书可能对我有点用处。”

“我知道，但你‘学到’什么了吗？”

他有点厌烦，因为我没有回答他的问题。我感到很挫败。我还不确定从书里学到了什么，所以我告诉他我刚看完的那一段，并努力把它描述得生动些。

“那件事发生在一九一四年的柏林，一个寒冷的春天早晨。教堂的钟声响了，爱因斯坦坐在柏林大学的办公室里，沉思还没完成的相对论。在不远处的实验室，有一个高高的钢笼子，里面有一只叫诺瓦的小黑猩猩正用一根棍子把香蕉皮堆成一堆。几年后，这个情景会在一本著名的书《人猿的智慧》（The Mentality of Apes）中重现。但是诺瓦环顾房间时，根本不在意名气。它的世界很简单，只有吃、喝、睡……”

“别忘了性。”费曼热忱地加上这一句。我发现费曼经常设法插入有关性的话题。我很高兴我的故事引起他的兴趣。

“对，还有性和寻找同伴。但是现在它饿了，可是香蕉皮又不能吃。诺瓦在研究自己的困境时，一位叫科勒（Koehler）的教授也在研究它。他跟诺瓦、还有爱因斯坦一样，也有一股欲望需要满足，而他的笔记注定要出现在许多书籍和论文中。科勒拿香蕉给诺瓦，不过他没把食物放进它的笼子，而是把它放在笼子外面诺瓦够不到的地方。”

“这家伙真残忍。”费曼说。

“他在向它挑战，”我说，“如果诺瓦想吃的话，就得设法拿到香蕉。它先做了最显而易见的举动，走到栅栏旁边，把手伸出来。它拼命把手臂伸长，想拿到香蕉，但就是够不着。于是趴在地上绝望地打滚。在不远处，爱因斯坦已经研究相对论九年了，从那时起两年以后，他才有了重大突破。”

“他当时的感觉或许跟诺瓦有点像。”费曼说。

我点头微笑。费曼和我正坐在一起聊研究过程中那种挫败感，我和费曼，就像同辈一样！我们正在建立关系，这令我非常高兴。

我继续说：“过了七分钟，诺瓦突然瞪着木棍，它不再呻吟，而是一把抓住它。它把木棍伸到笼子外，越过香蕉，再把它们往里拖到它够得到的地方。它已经有所发现了。”

“那这件事教了你什么？”费曼问，他没轻易放过我。当我发现我的脑袋在听到他的问题后，真的产生一些聪明的想法时，着实很高兴。

“诺瓦有两个技巧。一个是用木棍推东西，另一个是把木棍伸到笼子外面够东西。它发现它可以把两个本质上不同的技巧结合起来。它把它的旧工具，也就是木棍，变成完全不同的新工具。就像伽利略用望远镜所做的事，望远镜原本是用来看天空的玩具。很多发现都是这样，用新的方式来看待旧的事物或观念。但是作为发现对象的原材料其实一直都在那里，这就是为什么一些发现在刚开始时看起来很惊人，但在后代眼中却非常简单明显。我想我学到的是发现的心理学。希望以后这个可以派上用场。”

他看了我一会。

“你在浪费你的时间，”他说，“要学会发现事物，不是光靠看那些跟发现有关的书就可以，而心理学更是胡说八道。”

我觉得他仿佛掴了我一巴掌。但几分钟后，他直直地望着我的眼睛，露出一个顽皮的笑容，温和地说：“我从你这个故事学到的是，如果连大猩猩都可以有发现，你当然也可以。”

FEYNMAN'S RAINBOW 费曼的彩虹

6

Six
FEYNMAN'S
RAINBOW

好几个星期过去后，我跟费曼变得更加熟稔，但我并没有成为他的朋友。我们的谈话变得比较轻松，主要是因为我在他身旁时已经没有那么紧张。我问他，我可不可以录下我们的谈话，因为我想写有关他的事。当时我还没有具体的构想，或许只是想在杂志上发表一篇文章。虽然我不确定自己还能不能研究物理，但我向来热爱写作。对我来说，那是逃避现实的渠道，就像去看电影一样。费曼似乎不介意。他向来喜欢听众。

那一天很凉爽，校园里一片宁静，少数几个在散步的学生也很安静。费曼的办公室完全以实用为主，黑板上覆盖着密密麻麻的数学符号，而且多半都是他在年轻时发明的费曼图。此外就是一张书桌、一张躺椅、一个咖啡桌和两个书架，一点也不豪华，完全看不出他是二十世纪最著名和最受敬重的科学家。他正谈到最令我困扰的事：我是否具备成为一名科学家所需要的特殊资质？

费曼说：

别把科学家想得那么特别。普通人跟科学家的差距没那么远。他们或许跟艺术家或诗人等等相差很大，但我连这点都表示怀疑。

我觉得在一般的日常生活中，大家都会像科学家一样思考。每个人都会把日常生活中的特定事物放在一起，做出他们对这个平凡世界的结论。人们会创造不存在的事物，比如绘画、写作和科学理论。这些过程是不是都有共同点？我觉得它们和科学家的工作相比并没有那么大的差异。

比方说，任何人都可以说谎，而说谎是需要想像力的。你的谎话得编得合理，甚至要符合某些事实。有些人可以把谎话编得天衣无缝，但他们不必是科学家和作家。

如果有人说："玛丽还没回家，我打赌她一定跑到 Loaf and Ladle 去吃午餐了，因为她很喜欢那里。我们打电话给那里看看。"这不是跟科学一样美妙吗？如果你打电话过去，玛丽果然在那里，这是不是创造力呢？一般人会把从经验得到的想法结合在一起，用它们来分析别的事物或关系，比方说，如果他们突然发现小玛丽在谈到学校时总是会痉挛，他们就会针对这个发现采取行动。只要是跟人类活动有关的所有平凡生活和行为，在我看来都非常类似。

科学家的确会以比较有建设性的方式来思考。你问科学家某个问题，而这问题令他担心，但这种担心有时跟一般人不同，例如"不知道这个病人会不会好转"，这不是思考，而是纯粹的担心。科学家会试着建立一些东西，不只是担心，而是想出解决办法。

科学家分析事物的方式就像侦探一样。侦探会利用现有的线索，尝试搞清楚发生了什么事。我们则是利用实验提供的线索，尝试了解自然。我们掌握线索，努力解决事情。把科学家比喻成侦探，可以说再贴切不过了。

不知为何，我并没有把费曼想成福尔摩斯。那比较像莫雷，他似乎总是边走边咕哝着“简单不过……”，无论他是跟谁在一起。莫雷就像是从名叫“我做得到，因为我比谁都聪明”的物理学校毕业的。当然，莫雷“的确”比其他人聪明，但我不是。费曼的穿着打扮和说话方式，比较像蓝领阶层、可靠的科学家，我也比较像这一型。怀着这样的想法，我突然觉得侦探的比喻很有道理，而且我发现这让我感到振奋。我知道世上有像洛克福德和可伦坡一样笨拙的侦探，也有像山姆·史培德（Sam Spade）这种优秀的侦探，他们总是设法解开周遭世界的谜团。

尽管如此，那一晚我回到公寓时，还是向爱德华和雷建议到图书馆租福尔摩斯的电影，在我看来，福尔摩斯可能还是比洛克福德更适合代表物理学家。那个年代还没有录像机，所以我们得借影片和放映机，把电影投射在公寓的外墙上。从那个礼拜开始，我每个礼拜五晚上都会和邻居到外面看同一部电影《巴斯克维尔的猎犬》（The Hound of the Baskervilles）。我们抽着大麻，喝着啤酒，坐在水池旁的棕榈树下，沉迷在模糊的黑白画面中。爱德华偶尔会打扮得像福尔摩斯一样，不过他塞在烟斗里的东西没法帮他像福尔摩斯那样缜密地分析。我们会一起提前大声喊出饰演福尔摩斯的巴兹尔·拉思伯恩（Basil Rathbone）那夸张的台词，就像在看1939年老版的《洛基恐怖秀》（The Rocky Horror Picture Show）的观众一样。等到一天快要结束时，我一边赞叹着电影的力量，一边沉湎在帕沙第纳的堕落生活和欧洲礼仪的世界之间。

费曼后来还说：

其实我们所做的事再正常和平凡不过，只不过次数比一般人多得多！人人都有想像力，只是不会像我们一样运用得那么久。每个人都有创造力，只不过科学家更常发挥创造力。唯一不寻常的地方在于科学家做这些事的频率非常密集，以至于多年来，在同一个特定的主题上所获得的经验都会累积起来。

科学家的工作跟一般人的正常活动一样，只不过是以非常夸张的方式，做到淋漓尽致的地步。一般人不会这么常做这类事，或像我一样每天思考相同的问题。只有像我这样的傻瓜、达尔文或任何担心相同问题的人，才会做这种事！“动物是从哪儿来的？”“物种之间有什么关系？”科学家会努力研究这类问题，并且一连思考多年！我所做的事，就是普通人经常做的事，只不过我做的次数太过频繁，以致看起来很疯狂！但这样也等于在寻找身为人类的潜力极限。

例如你和我的手臂都不像一些不可思议的家伙一样肌肉贲张。对我们来说，要有那样的臂肌是不可能的。但这些人一再地锻炼，甚至可能达到过度锻炼的地步。这些肌肉可以锻炼到多大？怎么让胸膛看起来更棒？他们会设法找出极限。因此他们也是以异常的密集频率在做一件事。这并不代表我们永远不举重，只不过他们举重的次数比较多。但是他们跟我们一样，也是针对特定的方向，寻找人类活动的最大潜力。

所以科学家是脑部运动选手？我会相信费曼这种说法吗？有创造力的天才只是用神经突触做苦工的平凡人？

我研究物理学，在做研究时总是把物理学家想成神秘主义者。毕竟，物理学家可以用创造的新观点撼动神学，或用发明改变世界，例如无线电、晶体管、激光……或炸弹。你在学校掌握的物理学知识会助长一种观念：我们读到爱因斯坦，他的智商已经超过可量测的范围，他运用纯粹的逻辑得出空间与时间的关系；我们也听到有人因尼尔斯·波尔的物理直觉，就说他和上帝之间有条直拨热线；我们赞扬沃纳·海森堡（Werner Heisenberg），因为他提出测不准原理，动摇了机械论哲学的基础。在我的朋友眼中，这些物理学家全都是神话中的英雄。

人们总爱把科学家想成穿白外套的人，但至少物理学家就不穿这种外套。然而，我多少也有同样基本的错误观念：反正科学家就是与常人不同。我是在他们发展出严谨又符合逻辑的理论许久后，才知道这些理论。我对他们当时的不安全感、不成功的开始、困惑和因胃痛而躺在床上的岁月毫无所悉。即使在念研究生时，我也从来没有把教授当做普通人。他们是我提问的对象，但双方之间的鸿沟就像贫富差距那么触目惊心。如今我也是教员，也已成为真正的科学家，所以这一切才会显得这么奇怪。我认为自己跟别人没有两样，如果科学家是特别的，我怎么可能是科学家？费曼说别担心，科学家本就没什么特别的。这是个简单的认知，也让我感到慰藉。

知道每一个人都在雾中跌跌撞撞地摸索，令人感到心安，但相对地，这也代表有许多人可能正朝着错误的方向前进。谁正走进死胡同，谁正迈向成功？谁的研究可以长留人间，谁的会遭人遗忘？你怎么才知道什么值得研究？对于这些问题，我都无法回答，但我回想起系主任那番鼓励我的简短谈话。他说，到处走走，看看别人在做什么。我决定放开心胸，接纳别人。

FEYNMAN'S
RAINBOW
费曼的彩虹
7
053

SEVEN FEYNMAN'S RAINBOW

我想认识的第一个人名叫史蒂芬·渥夫朗（Stephen Wolfram），他的职位跟我差不多。我们约在一个叫做意大利熟食店的地方碰面吃午餐。渥夫朗点了一份三分熟的烤牛肉，他们送来大约一磅重的牛肉，没有面包，没有薯条，没有腌肉，只有一磅的红肉。我点的是标准的三明治和薯条等等。尽管我们对食物的偏好差异很大，但还是聊得相当愉快。起初，我感觉他似乎是个普通而友善的人，但是等我们真的开始交谈后，我发现一些让我产生警觉的事：他以前在牛津念书，十五岁就发表第一篇科学论文，二十岁时就已在加州理工拿到理论物理博士的学位。不可能，我决定我们绝对不可能成为朋友。多年后，我经常听到有关他的消息，他成立了一家极为成功的软件公司，然后出版了一本著名的书，那是由他重视的研究主题——细胞自动机（cellular automata）——所延伸出来的成果。他会是普通人？我想费曼八成没见过这家伙。

几天后，我头晕脑涨地走进办公室，前一晚我陪着雷直到四点才睡，他因为找不到女朋友而心情不好。那一阵子他似乎特别想交个女朋友。他会喃喃自语，有时是用西班牙文，只有这时才会令人想起他的名字是雷蒙（译注：西班牙名字），而不是雷。如果广播节目播的是情歌，他会大声地诅咒或转台，有一次还砸坏了收音机。他日夜都想着交不到女朋友的事，精力都要耗尽了。我采取费曼的分析方法，以科学家的眼光来看他。他的领域是爱情，如同达尔文或费曼，他一直为相同的问题苦恼，当然就他而言，他的问题是要找一个伴侣。雷一直讲到自杀的事，而且由于他有一把枪，我自然会认为我有责任确定他不会使用它。所以我不让他吸毒，换成跟他喝马丁尼。我们发现我们俩都为类似的问题困扰，由此产生一种同病相怜的感觉。我们两个都找不到想要的对象，他找不到伴侣，我则找不到值得研究的好问题。

待在办公室里对我的头痛也没有好处，我可以听到莫雷朝电话吼叫的声音透墙而入。对方显然是银行职员之类的人，不知对什么事情搞不清楚。如果别人对事情不了解，或没法像他那么快地掌握重点，莫雷就会觉得很烦。当然，如果这人是费曼，情况就不同了，莫雷一定会很享受那种情景。由于莫雷拥有百科全书般的广博知识，而费曼的知识只以数学和科学为主，莫雷自然有许多让费曼处于不利的话题。

我吞了几片阿斯匹林，盘算要做点什么。在找到一个好构想或一个值得解决的好问题之前，我向来会花时间看一些论文，思考一下。对理论物理学家来说这是很正常的事，但无法专心就不是了。我决定去找走廊另一边的一位年轻教授，说不定我们可以合作做一些研究。他好像很容易亲近，又写了一篇著名的博士论文，主题跟强作用力有关。

物理学的魅力之一就在于你所沉思的构想之浩大。整天沉思数学式，看似让人想打瞌睡，但是当你发现研究强作用力，就像在探索一种可以跟最夸张的科幻小说所描述的强大力量相媲美的力量时，你一定会感到很兴奋。如果没有强作用力，原子核内带正电的质子之间的排斥力将会使宇宙中的任何原子分裂，只有氢气的原子例外，因为它们的原子核只有一个质子。每当想到这一点时，可能你发现探索的潜力会和那些力量一样几乎是无限的。

物理学家认为把夸克束缚在一起的强作用力，就是导致我们永远无法看到莫雷的夸克单独存在的原因所在。但是这种解释有一个问题：根据实验的观察结果，当质子这类粒子互相撞击时，它们的行为仿佛内部粒子可以自由移动（这些内部粒子即费曼所谓的部分子，但其他人都认为是夸克）。若它们被束缚得这么紧，怎么可能自由移动？由于我们很难对量子色动力学进行精确计算而得到理论定量结果，因此这个问题的答案一点也不明显。走廊另一端的那位年轻教授，在这个问题上已经有开拓性的进展。最后发现答案在于根据量子色动力学，强作用力跟其他基本的作用力不同，距离越大，强作用力愈强。如果可以把两个夸克拉开一英寸的距离（但这是做不到的），它们之间会产生强到难以想像的吸引力；而一个质子内的两个夸克对彼此几乎没有影响，而且从它们的行为来看仿佛它们是自由的。

因此要消除强作用力，不能跑开，而是要移得更近。虽然这种行为在物理学中是首见，但这倒跟我在加州理工承受的人类作用力很相似。在这里，我原本应该可以自由地做任何想做的事。只要我表现得像认真的科学家，一副努力做重要研究的模样，我的确会感到自由。但是这也代表我不能自由地说些蠢话，不能自由地失败，不能自由地做任何事，只能沉溺在研究中——而且还不是随便的研究。

在我成长的物理学文化中，存在着责任阶级制度。我的办公室所在的楼层专供基本粒子理论学家使用，也就是研究基本作用力与粒子理论的科学家，例如费曼和莫雷。他们有瞧不起其他领域的倾向，例如生物学家、化学家或大多数其他物理学家，因为他们的主题是应用基本定律，而不是发现它们。按照这个观点，即使导致晶体管的发现、进而促成现代数码时代的固态物理学，也被视为价值较低的科学。莫雷称之为“肮脏状态物理学”（squalid state physics）。

我想我们可以借用索鲁·史坦伯格（Saul Steinberg）替《纽约客》(New Yorker) 杂志所绘的经典封面，来呈现这种文化地域。史坦伯格的画是以曼哈顿为世界中心，然后朝西瞭望，但在我的想像中，这幅画的前景，也就是世界中心，可以改成基本粒子理论的不同领域，它们就像史坦伯格那幅画的前景中的建筑物。这些建筑物也是费曼、莫雷及大多数我这个楼层的人所研究的领域。周围的地区（相当于史坦伯格那幅画中纽泽西以外的地区）则代表数学和理论物理学的其他领域。美国遥远辽阔的中部地区，则是被边缘化的实验物理学大平原。最后，在远方的海岸有一些小建筑物，它们代表应用物理学、生命科学和其他几乎不值得关注的专业领域。只要我待在这个世界的中心，就可以自由地四处移动。但若我的研究离这个中心愈远，我就会觉得被拉回去的力量愈强大。

费曼总是主张要忽视这类力量。他对物理学的所有领域、其他科学、以及许多其他有创意的工作都感兴趣。即使在社会上，他也不愿遵从世俗。当世俗期望他表现出专业礼仪时，他却跑去脱衣舞夜总会研究物理学。在脱衣舞夜总会，当人们以为他会喝酒或和脱衣舞娘欢闹，他却不喝酒，并忠于他太太。当时的我并不了解其实我也有这份力量，可以忽视其他人对我的期望。

当时我没有那份洞察力，可以把对强作用力的分析应用在自己身上，但那位年轻教授的构想吸引了我。我心想，既然他跟我一样在初期获得成功，如今又成功地踏出下一步（在加州理工获得永久的教授任职权），他很有可能成为我的良师。

我走进他的办公室，里面有几盆室内植物和一张亨廷顿花园的海报做装饰。亨廷顿花园是附近一个著名的植物园。那是我第二次在物理学家的办公室看到植物。第一次是在我以前认识的一位数学物理学家那里，但他也不算真的种了室内植物，因为他那些植物早已因缺水而死。

这位年轻教授身材庞大圆滚，看起来开朗愉快。在闲聊一会后，我尽量不动声色地问他最近在研究什么。大多数的研究员都乐于跟人合作，但没有人会想跟绝望的人合作。我的不动声色显然装过了头，因为他奇怪地看了我一眼。

“我只是四处看看，”我说，“了解一下这层楼的人都在做什么。”

“我懂了。”他露出微笑，但仍然没有回答。

“那么……你在研究什么呢？”我又问了一次。

“噢，你绝对不会感兴趣的。”

“你怎么知道？”我说。

他只是微笑，但没有说话。我盯着他，就像开车时瞪着红绿灯，等它变绿一样。但我眼前这盏灯并没变色。

我曾读过一个研究结论：在研究所，跟成功最有关系的特质就是坚持。我觉得社会学的研究人员经常过度坚持——他们老是固执于得出超过统计真实性的结论。然而，由于我本身就是很坚持的人，所以经常拿那篇研究安慰自己。

“所以你在研究什么?”我坚持问。

他耸耸肩，“最近……我大多时间在做园艺。”他在回答时，脸上还是挂着微笑。

等到了外面的走廊上时，我心想他的确赢得了永久教职，但我却瞧不起他。传授科学跟当科学家不同，对当时的我来说，以他的职位做这事，实在不值。从此以后，我总是把他想成“园艺教授”。

后来我遇到我朋友康斯坦丁（Constantine)。他是博士后研究生，雅典人。他父亲是希腊人，母亲是意大利人，而他似乎从母亲那边继承到崇尚完美的风格，并且充分表现在穿着打扮及对物理学的态度上。

“你不知道吗?”他低声说。“他已经江郎才尽了。他们在他刚从研究所毕业时就给了他永久教职，因为当时大家都争着想要他。结果他却是个只会变一种把戏的漂亮马驹。”康斯坦丁得意地假笑。

只会变一种把戏的漂亮马驹。我也附和着假笑了几声，心里想的却是“就跟我一样”。唯一的差别在于没有人犯下给我永久教职的可怕错误。我想我一定会迷失好几年，然后跟我的邻居一样，在国防工业领域找一份沉闷的工作，虽然我实在想像不出自己设计导弹的画面，至少在确切知道它们的使用对象前设计不出来。

我的头还是很痛，于是去找系里的秘书海伦拿更多的阿斯匹林。她的办公室在莫雷的另一边（就在莫雷和费曼之间)，她在系里的时间跟他们一样久。我走向她的办公室时，听到她正跟什么人说话，

“你让那位银行出纳很不好受。”

然后我听到莫雷的声音，“你听到了?”

海伦说，“怎么可能听不到?”

莫雷走出她的办公室，朝我点点头，我也点点头，然后走进去找海伦。

“你头痛?”我向她拿药时，海伦问道，“这也难怪。”

我给她一个“这是什么意思?”的表情。

“不好意思，我只是觉得你最近看起来闷闷不乐。”

“喔，我只是……努力在想接下来要研究什么。”

“我对物理学一窍不通，但我觉得大家都在研究物理学，至少那些还没放弃的人是这样。”

我说，“我打赌费曼一定从没放弃过。”

“费曼教授?为什么这么说，他有过好几次长期的低潮期，大家都知道，至少这里的人都知道。但他总是会恢复，我想你也一样。”

她把药拿给我，然后说，“就算没恢复，你也会找到别的事做，继续过日子。毕竟你还年轻。”

FEYNMAN'S RAINBOW 费曼的彩虹

8

EIGHT
FEYNMAN'S
RAINBOW

费曼在研究物理的期间，解决了数个战后初期最困难的问题。我确定在这期间他的确有几段停顿期，但他总是会恢复活力。莫雷几乎只研究基本粒子物理学的领域，但费曼却在许多领域都有重要的贡献。他似乎深谙在正确时机找出正确问题来研究的诀窍。我很好奇，那究竟是什么方法？选择正确的问题（亦即我现在的苦恼来源）和寻找解答，哪一个需要的才华比较多？一旦他决定研究一个问题后，解决它又需要具备哪些条件？

你第一次来的时候，要我跟你讨论我是怎么找问题的，那时我一阵恐慌，因为我真的不知道。那就像问蜈蚣，哪一只脚先，哪一只脚后。我得好好想一会，试着回想和引用一些问题。

有时候要找到研究主题，需要非常有创意的想像力，而解决它的技巧却可能五花八门。但有些数学和物理的问题，情况刚好相反。问题显而易见，而解决方法则很难找到。我们轻易就可以看到这类问题，但当时已知的技巧和方法，以及人们已知的信息量却很少。在这种情况下，要找到解决方法就需要创意。

爱因斯坦的相对性和重力理论（亦即广义相对论）就是很好的

实例。在看相对性时，光速（c）恒定的狭义相对论显然就是得跟重力现象合并。你不能有无穷速率的古老的牛顿重力理论，也不能有限制速率的相对论。所以你必须设法修正重力理论。

重力必须经过修正才能符合相对论，还有光速是恒定的。你在开始时几乎没多少资料可用，那要怎么做？这就是挑战所在！

爱因斯坦很清楚地看到，这是一定要解开的问题。这一点其他人还看不出来，因为对他们来说，狭义相对论还不是显而易见的。但是爱因斯坦已经超越那个境界，所以他能看到另一个问题。问题是明显可见的，但要找到解决方法，需要最丰富的想像力。那是他必须发展的原理！他运用了事物在坠落时没有重力的事实，而这需要非常丰富的想像力。

或者以我现在正在研究的问题为例。它对每个人来说都非常明显。我们有一个称为“量子色动力学”的数学理论，它应该可以解释质子和中子等等的性质。

在过去，如果你有一个理论，而且想证明它是否正确，你只需运用它，看理论中发生的情况，再把它跟实验数据进行比较就可以了。以我这个问题为例，它的实验已经完成。我们知道质子的许多性质，我们也有理论。问题在于它是一个新理论，我们不知道要如何计算这个理论的结果，因为我们还没有那种数学能力。

你必须发明一种计算它的方法，问题是要怎么做？你得设法创造或发明。我不知道要怎么做。这问题很明显，但要解决它很难。

要找到这个理论，需要无穷尽的想像力，人们先是注意模式，逐渐发现事物，最后是夸克，然后尝试找到最基本的理论。所以这个特殊的问题已经有了很长的发展史。我们花了很长的时间才走到今天，但现在我们好像不得不注意它。

不得不注意它。他这种说法倒是很有趣。当费曼透露他也沮丧过时，我发觉我心里好过了一点。

现在我正在研究这个非常困难的问题，而且已经持续了好几年。在处理这个问题时，我采取的第一个做法是寻找解决它的数学方法，也就是解一些方程式。我怎么做呢？我又是怎么开始思考的？这大概要由问题的难易度来决定。拿这个例子来讲，我只是什么都试，花了两年时间，试试这个，又试试那个。也许我的做法就是尽量试出那些没有用的，一旦知道这个没用，就再试其他方法。但是等我试过所有没用的方法后，我才了解到，原来我的方法没一个有用。

然后我心想，好吧，如果我大概知道它的行为，这多少可以告诉我，我可以尝试哪种数学形式。然后我又花了很多时间思考它大致是怎么运作的。

这当中也牵涉到一些心理层面的问题。首先，我后来都只研究最困难的问题，我喜欢这类问题。它们都是没人解开过的问题，所以我解开它们的几率也不是很高，但现在我觉得我已经有一个职位，而且是永久教职，所以我不必担心攻克某个长期课题要耗费多少时间，我也没有在一年内拿到学位的顾虑。我的身体可能撑不了多久，但这点我也不担心。

我和他在一起时，一直感觉得到他的病，仿佛有位死亡天使正耐心地等待着他的生命结束。

另一个心理层面是我必须告诉自己，我在这个问题上处于有利地位，也就是说，我有一种其他人没法运用的才能，或一种看待问题的特别的方式，而别人都蠢得没发现这种美妙的方式。我得告诉自己，我的机会就是比其他人多。我心知肚明这可能只是在骗我自己，别人可能也想过要采取我这种态度。但我不在乎，我骗自己相信我的机会比别人大，我可以有所贡献，否则我干脆等别人来做，无论是谁都一样。

但我的做法是我向来不会跟别人一模一样，我总是认为自己处于有利位置，我总是会试别的方法，而且正是因为我尝试别的方法，所以他们根本没有机会。这么想很夸张，但我必须让自己这么夸张才行。我觉得这跟非洲人的做法类似，他们在出征时，总是会击鼓激起自己的斗志。我会跟自己说话，说服自己可以用我的方法来处理这个问题，其他人的做法都不对。他们没法成功，原因就在于他们的做法不对，而我的做法不同。我说服自己相信这种想法，以此激起自己的热情。

这么做的原因在于当你要研究的问题很困难时，你必须研究很久，还要能坚持。为了让自己坚持下去，你必须说服自己相信这么努力是值得的，你一定会有成果。这有点像在欺骗自己。

在我研究的最后这个问题上，我真的骗了自己。我什么成果都还没得到。我的做法不是很好，想像力也不够好。我已经明白它的定性运作，但还没想出它的定量运作。当这个问题终于被解决时，那将全是想像力的功劳。然后，产生这一结论的伟大方法又会造成轰动。其实这一切很简单，靠的全是想像力和坚持。

没研究过物理学的人常会认为它是枯燥、精密和准确的工作。其实真实的物理学跟理论截然不同，而且差距之大就像法律实务跟法学院里的理论辩论，或行医与生理学和疾病的理论一样。法律或许由明确的条文构成，但它的应用却受限于诠释、知识不足、实际考量和审判者的心理。医学可以详述一种疾病的症状，但几乎没有病人会在去看医生时，引用教科书里的话来描述自己的病痛。物理学也是一种艺术。严格说来，只有极少数的物理问题可以称之为是“解决了”。物理学家在解决一个问题时，必须判断一个现象的哪些方面是基本要素，哪些可以被忽略，必须忠于数学的是哪个部分，又必须改变哪些部分。比方说，一个氢原子是由一个电子绕单一质子运行所构成的。在一百多种原子当中，只有氢的量子方程可以精确地解开。然而，即使像把这个氢原子放进磁场的简单动作，量子方程都会因为把磁场包含进去而发生改变，导致它无法解开。

以找出磁场内氢原子所发出的光为例。你必须加以简化，你可能必须在开始时假定磁场是必要的，然后去掉牵涉原子的数学项，或你可能必须在开始时假定质子的影响最重要，因此去掉代表磁场的数学项。再比如我写博士论文的方式，你可以改写方程式，当做这个世界有无限维。要解决一个物理研究问题，你可能需要一再提出假定，一遍又一遍地进行概算，还要有不受既有框架限制的丰富想像力。这意味着要有往前走的能力，听从自己的直觉，接受自己并不完全了解自己在做什么的事实。最重要的是，你一定要相信自己。

费曼解决量子色动力学的方法是写一个简化的理论，看看在这样的假定下，该理论有什么特质。费曼对这个问题所做的研究，让人联想到他先前最著名的研究之一：液态氦理论。这一研究是要从理论上解释液态氦一些极为奇异的性质。例如，它不会沸腾，如果把它放进烧杯，它会沿烧杯的侧面溢出，直到烧杯变空为止。在看到一些物理学家为无法解开这个问题而沮丧后，巴比伦风格的费曼决定最好的方法就是“挥挥手，和比较简单的系统做类比，画图，做有道理的猜测”。这是费曼的显著特征：没有强大的数学，但有强大的想像力和物理知识。他在20世纪50年代中期，在一系列著名的论文中解开了氦的问题。他显然希望能用相同的方法再度获得成功。

费曼生前没能解决量子色动力学的问题。如今，离我们那次讨论已过了二十余年，还是没有人解开它。今天，从这个理论计算得出的唯一的新结果，不是来自对这个理论更深入的理解或者运用数学解出，而是通过功能更强大的计算机来持续应用这一理论得出的。

FEYNMAN'S RAINBOW 费曼的彩虹

9

NINE FEYNMAN'S RAINBOW

我在继续寻找要研究的问题时，想到费曼对有利地位的看法。我的优势在哪里？我总是比大多数的同学更喜欢数学。我也是叛逆型的人，天生就会被违反公认智慧的事物吸引。跟我同一层楼的同事大多跟费曼一样，致力于找出更好的方法来解决量子色动力学方面的问题。这类研究大多只涉及普通的数学，并被视为现今最重要的问题之一。

但是有一位名叫约翰·史瓦兹（John Schwarz）的教授，他研究的主题完全不在主流之内，而且涉及相当奇特的数学。

自然界有四种已知的作用力：电磁力、重力、强作用力，以及弱作用力。对于这四种作用力所引起的交互作用，物理学家都有理论可以描述：电弱理论（quantum electroweak theory），是对量子电动力学的概括和归纳，描述的是电磁力与弱作用力；广义相对论，描述的是重力；量子色动力学，描述对象为强作用力。认为所有自然现象都可以用基本物理定律来解释的观念，称为化约主义（reductionism）。化约主义在物理界非常普遍，并且超越"派系"，从类似莫雷的希腊派到费曼这类巴比伦派都有人抱有这种信念。这意味着大多数的物理学家认为，宇宙中的一切都是这四种基本作用力中的一个或多个所造成的结果，从婴儿的出世到银河的诞生都是。有鉴于大多数物理学家都秉持这样的观念，因此发展这四种作用力的理论可以说是理论物理学家所追寻的最重要的研究。如果史瓦兹所研究的理论成立的话，将涵盖（和改变）所有这些理论。他的新理论将一举改写它们，取而代之的是一套完整的理论。

由于这四种作用力之间的差异，要以单一理论同时描述这四种作用力似乎太过牵强。例如电磁力既可表现为吸引，也可表现为排斥，但重力只有吸引作用。强作用力随距离变短而减弱，但重力和电磁力则是增强。此外，这四种作用力的强弱范围大得几乎令人难以想像：强作用力比电磁力强一百倍左右，电磁力比弱作用力强一千倍，而弱作用力又比重力强无数倍。这四种作用力也在我们的生活及宇宙的运作中扮演不同的角色。重力使我们能贴在地球表面，也是造成潮汐涨落的原因。但它在自然界最重要的效应体现在宇宙尺度上。重力作用导致行星形成并绕恒星运转，促使恒星内部的核反应系统放出光和热，导致生命的诞生。早在行星存在前，这些恒星就是在重力的挤压下崩塌。电磁力对我们的重要性主要体现在原子尺度上，例如原子与分子之间的电磁力让物体变得可见，使氧气得以和红血球结合，当你靠在墙上时，也是电磁力使你的手不至于穿墙而过。物质拥有的大多数性质也是电磁力所导致的。现代大多数的便利发明也是驾驭这种作用力（大多在二十世纪）的结果：从电灯、电话、无线电、电视到电脑都包含在内。强作用力和弱作用力所主宰的世界，存在于比电磁力作用的原子世界甚至更小的尺度：原子核的内部。弱作用力控制原子核内的放射性衰变，称为β衰变。强作用力负责原子能。摧毁广岛市的庞大力量，就是来自相当于不到三分之一盎司的铀原子核所释放出的强作用力。

这四种作用力怎么可能由一个理论来描述？我们会有这种想法是因为借鉴历史：其实世上可以说有五种作用力，但我们都说只有四种，原因就在于作用力的第一次统一是许久以前发生的事。电力与磁力的理论统一，有点像是目前这些努力的先行篇。这个故事是这样开始的：很久很久以前（西元前第六世纪），在一个遥远的国度（古希腊），一位聪明的哲学家泰利斯就已经在研究最简单的电磁现象，即磁力与静电。从泰利斯的时代到十九世纪，人类对电力与磁力的了解日益增多，但在这段期间，还没有任何迹象表明它们不是两种独立的现象。在当时，重力、电子和磁力是三大已知作用力。后来，大约在一八二〇年时，欧洲不同地区的几位科学家发现，通电的电线具有神秘的磁力特性。这表明电力和磁力是相关的，但还没有人想出它们之间的关系。在其后的数十年间，这些人只能用各种各样的经验定律，描述他们观察到的效应。一直到一八六五年，一位身高不到五英尺四英寸的苏格兰物理学家詹姆士·克拉克·马克士威（James Clerk Maxwell），才用大杂烩般的定律导出惊人的方程组。在短短几行间，就向世界证明了电力与磁力如何自电荷与电流中产生，最重要的是，如何互相产生。因此，马克士威创造出将古代三个作用力中的电力与磁力统一的理论，成为我们今天所称的电磁力。

历史也证明马克士威的统一理论不仅是一个理论杰作，而且具有革命性的新效应。比方说，它的方程组显示加速电荷会产生电磁场的波。这些波总是以相同的速度移动，他的计算显示这个速度是光速。这为爱因斯坦创造出狭义相对论提供了灵感。一旦马克士威发现光是一种电磁现象后，世上还有其他电磁波存在的可能性就更大了。这为德国实验主义者海瑞奇·罗多夫·赫兹（Heinrich Rudolf Hertz）铺好创造第一个无线电波的路，并最终促成无线电、电视、雷达、人造卫星、电信、X光机和微波炉等技术的问世。在《费曼物理学讲义》中，费曼写道，"……十九世纪最重要的事件无疑是马克士威发现电动力学定律。"

物理学家把能解释所有自然作用力的理论称为"统一场论"（unified field theory）。思考它所代表的意义是非常有价值的。一个理论要成为统一论，就必须超越对个别作用力的描述，连作用力之间的关系也要包含进去，如同马克士威所做的，他证明电可以生磁，而磁也可以生电。

研究统一场论的物理学家大多追求得更多：他们想证明所有的自然作用力是如何从更基本的单一作用力，即基本原理产生出来的。虽然几乎没有什么实验证据显示这是事实（或不是事实），他们还是出于美感或者因为相信能解开所有自然定律的单一钥匙必定存在，而继续寻找这样的理论。这种统一论意味着希腊风格物理学家的最终胜出。爱因斯坦就是把大半生投注在寻找这样的理论上，他在发表相对论后，跟主流物理学家渐行渐远，后者的重心比较偏向于更为实际的问题。

除了数学之美与发现新自然现象的可能性以外，统一场论也可以回答我们究竟为何存在等相关的基本问题。正因为这四个自然力的平衡、它们的相对力量、以及不同的性质，宇宙才会成为今天我们所知的模样。例如，假定重力没比强作用力弱那么多的话，恒星会压缩得更多，核燃料烧尽的速度也会快得多，从而导致生命无法演化。另一方面，如果重力弱得多的话，电磁斥力会使物质根本无法结合成恒星。如果强作用力没有比电磁力强那么多的话，大多数的原子核会崩溃。而如果物质内电子和质子的数目只要有百分之一无法平衡，你和一码以外的人之间所产生的电磁力将会比地球的重量还大。各种自然作用力在本质上没有共通点，但却维持着精密的平衡。为什么？虽然各个作用力都有各自的理论，但是唯有一个可以包容所有作用力的理论才能真正解答这一问题。

当爱因斯坦开始探索统一场论时，情况并不乐观：因为当时强作用力和弱作用力还没被发现。但是到了一九八一年，电磁力和弱作用力已经结合成一个理论，而物理学家对于如何纳入强作用力，也已经有一些构想。在寻找统一理论上有所进展，已经成为令人想望的目标。爱因斯坦去世三十年后，他的探索再度流行开来。“万有理论”（theory of everything）成为物理词汇。大家都认同要在这方面获得成功，最大的障碍就在重力上。物理学家不仅不知道要怎么将重力纳入一个统一的理论内，而且就算把它视为独立的作用力，目前也还没找到可以描述它的量子重力理论。除非你相信史瓦兹的看法。他宣称他的理论可以将所有作用力统一在一个量子理论下，即使重力也不例外。

令史瓦兹着迷的理论称为弦论（String theory）。弦论中的“弦”跟你绑在手指头上，提醒自己在回家路上买牛奶的普通细线没什么关联。物理学里的弦最早是在一九七〇年由南部阳一郎（Yoichiro Nambu）和美国物理学家李奥纳·色斯金（Leonard Susskind）提出的。根据这个理论的构想，所谓的点状粒子有可能是细微的振动弦。这种奇特的构想有什么用途？首先，它似乎可以用于解决不断发现新粒子的实验主义者所引起的老问题。莫雷用种类数目少得多的夸克，解释为何会有大量不同的粒子存在，但即使是夸克，它们的数目也比他当初提出时增加了许多。因此弦论的早期魅力与莫雷在二十世纪五十年代提出的构想有密切的关系，即这些粒子可能全都是相同物质的不同形式而已。

在弦论中，只有唯一一个包含所有作用力的理论，也只有唯一一种基本粒子——弦。它的性质取决于振动状态，如同振动模式可以决定小提琴弦所产生的声音，只不过在弦论中，不同的振动状态所呈现出来的是不同的粒子，而不是不同的声音。因此，“弦”这个单一实体可以解释自然界中多种粒子的存在，也可以解释会令它们产生反应的作用力。

从弦论的数学形式来看，它似乎极有可能是包含所有作用力（甚至重力）的统一场论。对史瓦兹等人而言，这似乎是个奇迹。但这些只是这个理论的一般性质，你无法通过做实验来预测。因此最重要的问题依旧存在：弦论是正确的吗？

你可能认为这很容易验证：只要仔细检视一个粒子，看看里面有没有一根细弦在弹动即可。但基本粒子极小，我们无法精确地分辨是否有这种更细微的构造存在。这就像距离很远时，你鼻上的小提琴形痣看起来可能很像你母亲所说的美人痣。不过，虽然我们无法直接检验粒子是否真的由弦构成，却并不代表以此为假设所建立的理论没有任何意义。假设你隔着一段距离，从我跟你有限的同事之交，而不是朋友的角度来观察我的生活，你可能会觉得这家伙说起话来头头是道，资质不错，而且在加州理工有份好工作，似乎是个成功又有自信的人。但是在更深的层次，我究竟是什么样的人？

仅仅依靠我们之间这种关系，你可能无法直接得出结论。所以你可能会试着进行推测。我在家时，是会看简·奥斯丁的小说，安静地照顾花园和拉小提琴？还是狂饮马丁尼，努力阻止我那位清洁夫邻居一枪打爆头结果性命？当然，在一些特定的情况下，这两个理论中的曼罗迪诺会有行为差异，这时你可以推测哪一个更接近事实。弦的情况也一样。即使我们跟自然的关系没有密切到可以直接检验粒子是否由弦构成，但是我们能不能创造出一种情形，在这种情形下，弦论和非弦论所预测的可观察结果会彼此冲突？能够提出这类实验是弦论家最大的愿望，只可惜至今还没有人想出该怎么做。这个理论所涉及的运算实在太过复杂了。

由于弦论家实在不知道怎么做可检验的预测，于是他们为自己的理论设置了一个短期目标，他们称之为“后测”（postdiction）。也就是说，弦论是对某个已知、但尚未被了解的事物提出解释，而不是预测某个新现象。比方说，我们已经知道许多基本物理量，例如夸克的质量或电子的电荷，但并不知道它们为何具有这些值。而弦论具有改变这一点的潜力：它可望从一无所有中创造出这些数值。但至今也还没有人想出该怎么做。

在二十世纪七十年代期间，弦论看似没有什么前景。但紧接着，科学家们发现了几处矛盾的地方。每一个人，包括史瓦兹在内，都认为可能需要另一个数学奇迹，才能解决这些矛盾。史瓦兹和一小群合作者坚信弦论是正确的，并开始寻找这个奇迹。对他们来说，他们揭示的数学结构（例如重力已被这一理论涵盖在内）就已经是一个数学奇迹了，现在他们准备让这个理论引导他们找到下一个理论。而其他人则干脆放弃了这个理论。

对于弦论，史瓦兹没有努力解决的问题之一是维度：在三维空间里，弦论在数学上并不一致。弦论中的弦有长、宽、高，但它们还需要六个在真实世界中不存在的额外维度。虽然不像我的方法要用到无限维度，但这些额外的维度并不是为数学近似法而创造的。根据弦论，这些额外的维度必须是真实的。弦论家“解决”这个问题的方法是进行数学调整，以使这六个额外的维度变得极小，就像弦一样，小到自然会被忽略，事实上也是无法察觉的。

这就仿佛我们住在二维世界（假定被限制在地球表面），然后一位物理学家突然说：听着，世上还有一个我们以前从没注意到的额外维度（上下）。这时这个二维世界的居民可能会问，我们怎么可能没注意到这么明显的事物？如果“上下”真的存在，我应该能够跳跃和向上抛球啊。这时物理学家会回答，你可以跳，但这个维度太小，所以你的跳跃只会使你跳离地表极小的距离。由于这个距离实在太小，所以你甚至不会注意到自己已经离开地表。

在一些人看来，在弦论中，额外维度必须存在的这个必要条件本身就是一项重要发现，如同蒲朗克的量子原理，或爱因斯坦认为时间和空间并不相互独立，而是一个统一的四维时空整体的理论。这些人认为，弦论代表着一个刺激的挑战：寻找额外维度所造成的间接但可测量的结果（与此同时，继续消除弦论中的其他矛盾之外）。但是，即使在加州理工，大多数的物理学家对史瓦兹的反应，仿佛他提出的是要大家搬到内华达，加入在第五十一区研究外星人的秘密小组。

康斯坦丁就是其中之一。我发现他坐在书桌前。他的办公室在最里头，没有窗户。头顶的荧光灯发出嗡嗡声，如果是我的话，一整天听这种嗡嗡声肯定会很沮丧，我也无法忍受没有自然光的办公环境。当时，除了工作以外，很多事情都会让我意志消沉。但康斯坦丁好像从没为任何事沮丧过，不过他看起来有些疲倦。

“我凌晨四点才上床睡觉。人生是很辛苦的。”他说。但他的手势和表情告诉我，他是在说反话。他跟他的美国女友在一起，那是位名叫梅格的迷人的金发演员。

我嫉妒他和梅格。康斯坦丁是那种散发着地中海气质的俊男，身材瘦小，但非常匀称，有一双迷人的眼睛和爽朗的微笑。他老是把自己晒成褐色，虽然才二十多岁，但带灰的头发刚好让他看起来很成熟。他抽烟的模样还会让人联想到那种刻意营造性感气氛的广告。有时我会偷偷想像二十年后碰到他的情形：他已经满头银发、满脸皱纹，甚至还有点驼背，而我却完全没变，只多了一股成熟的味道，让我显得格外性感。

我告诉康斯坦丁，我要去找史瓦兹谈谈。

“你为什么要找他谈?”他问。

我说，“我想他会是个良师。”

康斯坦丁哈哈大笑，“良师？他连自己都指导不好。”

“他好像有指导学生。”

“少来了，那家伙已经在这里待了九年了，连永久教职都还没拿到。他甚至不是教授，只是跟你我一样的研究员。”他又做了一个他独特的希腊（也许是意大利）式手势——和向侍者暗示已经吃好了、盘子可以收走的手势很像。

“唔，如果他已经在这里待了九年，这说明一定有教职员支持他，有一些影响力之类的。”我说。

康斯坦丁吸了口烟，然后朝着天花板喷了出来，看着我微笑着说，“他就像只骡子，他指导很多学生，做很多事，所以费曼这类的人才能不劳而获。”

“他的工作量这么大，或许他会很乐意跟人合作。”我说。

“我想他会很高兴跟你说他的研究，反正也没别人在乎。”

“你还真支持，康斯坦丁。”我走出他的办公室。

“怎么了？我说错了什么吗？”我离开时，他大声问。

史瓦兹的办公室在拐角，门是敞开着的。他看起来大约四十岁，相当干净整洁。他正坐在书桌前看预订本，也就是物理学家的研究论文原稿。由于期刊还要很久时间才会出版，因此大多数的作品都是以预订本的方式发送和阅读（现在则是从网络下载）。他抬起头。

“什么事？”

我作了自我介绍，他微笑着说，“是啊，我听说你是新来的。”

“我想认识大家，看看大家都在研究什么。”

“我研究弦论。”他说，仿佛这是家喻户晓的名词。

“我在想或许你可以稍微解释一下你的研究。”

“我现在真的没有时间。”他说。

“那下次好了……”我说，“什么时候比较好呢？”

他站起身，走向书架，拿了六本预订本和一些文章的复印本。

“来，”他说，“你可以先看看这些。”

他把资料拿给我后，就继续回去工作了，好像我不在那儿似的。他已经把要跟我说的话都说完了，连看我的时间都省了。

我回到办公室，暗自神伤。康斯坦丁走了过来，以稍微轻快的口气问我是不是已经成为史瓦兹新收的“门徒”。我用中指比了一个无论是希腊还是意大利都没有的手势，他猜出了我的意思。

当时我们俩都不知道，短短几年后，放在我书桌上的这叠文件会被视为本世纪理论物理界最有希望的突破之一，广受全世界的推崇。

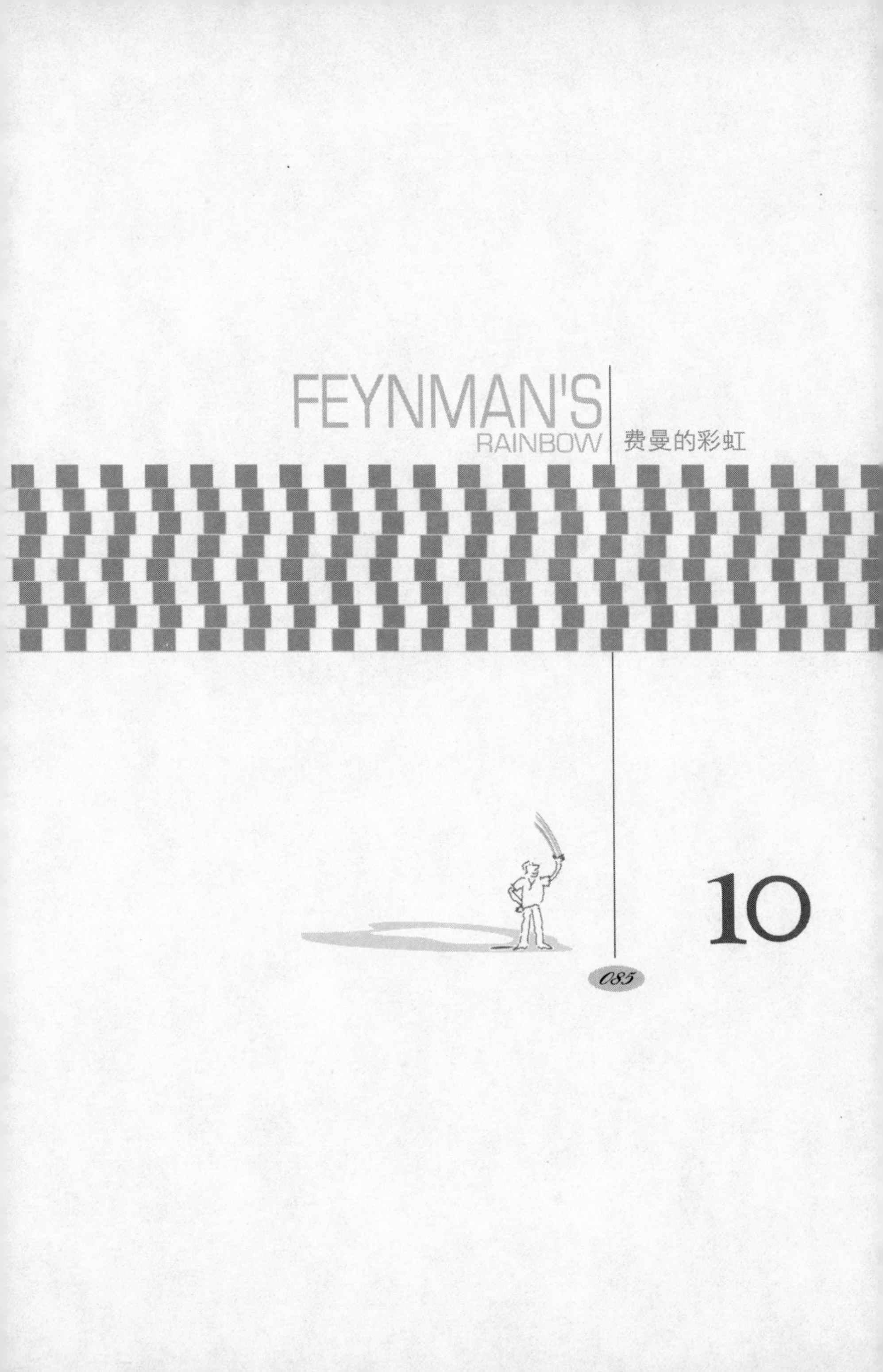
FEYNMAN'S
RAINBOW
费曼的彩虹
10
085

TEN FEYNMAN'S RAINBOW

史瓦兹拿给我的文章并不容易懂，但至少我发现自己终于能集中精神了。我发现尽管史瓦兹和他的理论毁誉参半，而他也没有跟任何教员合作，但仍有四五位研究生在他手下工作，比系里的其他教授都多。我在遇到疑问时，还跟其中两位谈过。他们似乎很能干，头脑也很清楚。难道他们不知道有百分之九十九点九的物理"专家"认为他们全都是怪人？

此外，为什么其他的教员会允许这么多学生像这样"误入歧途"？我心想，一定有人支持，这人会不会是费曼？

星期六，校园跟城市破晓前一样宁静，但当时早已过了正午。我还没吃早餐，肚子很饿。问题是，虽然大多数学生都住校，但在周末"油腻"和学术俱乐部都不开。我猜学生大概都到别的地方用餐，于是我出了学校去找小吃店或贩卖机。我看到费曼就在不远处。我不明白他怎么会在这里，但我想这是个"堵"他的好机会。

"有什么发现了吗？"他说。

"现在我正想发现食物，你知道哪里卖吃的吗？"

"我知道哪里有，"他说，"问题在于'时间'。在周末，校园里大家平常用餐的地方都不开。"

我们朝学术俱乐部的方向走，那里好像在办什么活动。我们有好一会儿没说话。

“我想问你一件事，”我最后打破沉默，“你觉得研究一个大家都觉得没有意义的理论明智吗？”

“只在一种情况下是明智的。”他说。

“什么情况？”

“‘你’觉得它有意义的情况。”

“我觉得以自己对它的了解，还没办法分辨它有没有意义。”

他吃吃笑了起来。“或许等你了解得够多，可以分辨有没有意义时，你倒不会研究它了。”

“你是说，也许我根本笨得没法分辨。”

“不是这样。或许你只是因为知道的还不够多，或者对它的了解还不够久，所以才还没有对你已经知道的部分‘感到厌烦’。知道太多有时反而会麻烦。”

在物理学上，的确有许多伟大的发现是由年纪跟我相仿的“孩子”办到的。牛顿发明微积分、爱因斯坦发现相对论，还有费曼开发出费曼图技术，都是在这个年纪。当然有许多成就是由比较年长的物理学家取得的，但是最革命性的进展似乎都是年轻人办到的。我们研究生早就知道，就数学物理和理论物理所需要的脑力而言，我们正处于巅峰状态。但费曼似乎有不同的看法，仿佛我们之所以会走下坡不是因为智力衰退，而是被洗脑的结果。或许这就是他避免从书籍或研究论文中学习新知的原因；他向来以坚持依靠自己获得新结果，以及用自己的方式来了解事物著称。对他来说，保持年轻意味着要坚持初学者的心态。在这方面，他显然做得很成功。

“你看，”他说，“你已经找到吃的了。”

在学术俱乐部的中庭，有一个很大的自助餐桌，那里似乎正在举行婚礼。我们停下来，望着那群衣着高雅、穿西装打领带的人。

“是啊，只可惜我们没有被邀请。”

“看不出来你这么有礼貌。”

“这话什么意思?”

“我是说，如果你没被邀请，就代表你不受欢迎吗?”

我耸耸肩，“我通常这么想。”

“那你八成还不够饿。”

我想了一会儿。

“唔，可是我们的衣服不太正式。”费曼穿着衬衫和宽松长裤，我则穿着短裤和T恤。

“当然不正式了，有哪个科学家在工作时会穿得像要去参加婚礼一样？哦，只有莫雷例外。”他笑出声。

“你要跟我一起去吗?”我说。

他露齿而笑，跟我一起走向餐桌。我开始往餐盘上堆食物，他就在一旁看着。起初似乎没人注意我们，但后来有位穿无尾礼服的男士排到我们后面。

“你们是新郎还是新娘那边的客人?”

“都不是。”费曼回答。那人上下打量我们，我的心砰砰地跳，拼命想能把困窘降到最少的借口。但费曼接着说，“我们代表物理系。”

那人笑了，取了些沙拉后就走开了，似乎对费曼的回答和我们的服装毫不在意。

FEYNMAN'S RAINBOW 费曼的彩虹

11

ELEVEN FEYNMAN'S RAINBOW

要好玩，有趣并保持年轻的心态。显然，对费曼而言，对自然或生活的所有可能性持开放的态度，是他保持创造力和快乐的重要关键。

我问他，“变得成熟了是很愚蠢的一件事吗？”

他想了一会，然后耸耸肩。

我不确定，但玩耍是创造过程中很重要的一部分，至少对一些科学家来说是如此。年纪愈大，愈难这样，你会渐渐觉得好玩的东西越来越少，当然，你不该这样的。

我有很多好玩的数学方面的问题，我常常在这类小世界中玩耍和工作。例如，我第一次听说微积分是在高中，然后我看到求取导函数的公式。然后是二阶导函数、三阶……接着我注意到用于 n 阶导函数的模式，n 为任意整数，例如 1、2、3，依次类推。

但接着我问，“半阶”导函数又是怎么回事呢？我想要一个运算，它能在你把它用到一个函数时得出一个新函数，而如果你做这个运算两次，就可以得到原本那个函数的寻常一阶导函数。你知道那个运算吗？我在高中时就发明了它。但当时我不知道怎么计算，我只是个高中生，所以只能定义它。我什么都不会算，也不知道要怎么验算，我只是定义它。一直到我进了大学之后，才从头开始又演算了一遍，而且乐在其中。我发现我在高中时想出的定义是正确的。它的确有用。

后来我在洛斯阿拉摩斯（Los Alamos）研究原子弹时，看到一些人在解一个复杂的方程式。我发现他们的形式跟我的半阶导函数一致。唔，原来我已经发明了求解方程的数值运算法则，于是我运用它来求解，果然管用。我们做了两次以便验算，结果果然是寻常导函数。原来我发明了一个很棒的数值解法，可以解他们的方程式。一切，或许也不是一切，而是很多东西最后都证明是有用的。你只要玩得尽兴就对了。

有创造力的心灵犹如一个巨大的阁楼，里面存储着众多物件。大学时的家庭作业，做博士后研究时花了一星期写出来的非常有意思但看上去似乎毫无意义的论文，同事漫不经心的评论等等，对有创造力的人来说，这一切都会储存在他的脑海中，并且常常在最不经意时下意识地想起并应用它们。这一创造过程已经超越了物理学的范畴。柴可夫斯基曾写道，“未来乐曲的幼芽冒得突然，出人意料。如果土壤适合……”玛丽·雪莱曾说，“发明不是无中生有，而是源自混沌世界。”斯蒂芬·斯班德（Stephen Spender）也说过，“我们想像的事物都是我们原先就已经知道的。所谓的想像力，就是记得过去的经验，并将它用于不同情况的能力。”

另一个非常有趣和好玩的问题是，如果我能以某种方式改变自然，改变一条物理定律，那么会发生什么事？首先，如果我要改变什么，那它一定要跟其他事物协调一致。而我也得搞清改变这条定律的所有结果，看看会发生什么事。这是一个相当有趣的工作，有很多事要做。我试着这么做过一次，我想知道如果这个空间是二维、而非三维的话，物理学会是什么状况。也就是说世界变成二维空间（如同欧几里德的平面）加一维时间。结果我发现许多非常有趣的现象，比如原子的行为（如它们的光谱线）。我发现在二维空间中，有许多与三维空间不同的事物。这实在很有趣，我把它们全记在笔记本里。这么做我感到很开心。

费曼在提到光谱线时，指的是原子发出的独特光线。增加空间的维度，对我来说是很容易想像的。我撰写博士论文时，也研究过维度的变化会造成什么改变——从一维一直到无限维。这就像增加新的方向。在一维世界里，只有前后。若要二维，就要加上左右。若要三维，就要再加上下。每增加一维，你只要增加一个新的、可能的独立方向即可（对我们当中的一些人来说，它也可能造成迷失）。想像力可以让我们设想类似的替代性世界，这种感觉很好。但他接下来的奇谈怪论，则完全出乎我的预料……

我还觉得做另一件事很有趣，那就是假设有两个时间。两个空间和两个时间。有两个时间的世界会是什么样子？

我们习惯了事件有时间上的先后顺序。而有了两维时间（如果时间必须在平面上记录，而不是时间轴上），事件就不再有绝对的顺序。这真的会是很奇特的世界。

我儿子和我曾在沙滩上讨论过很久。他的几何想像力很丰富。为了方便我们想像，他做了一个模型，所以我们可以设想这样的世界会是什么模样；我们可以想像和提出问题，例如会发生什么事之类的。在我无事可做时，也蛮爱玩这个游戏。

我们一直在做这样的事，先问"如果……的话怎么办?"，然后开始研究结果。但你可以改变的事物实在太多，所以除非你有足够充分的理由，否则最好别改变。要找到正确的改变，需要想像力，因为即使只做一些简单的改变，事实上也会存在无限多的改变方式，这会让你很难选择出正确的那一种。

有人曾说，"如果万物都是由三个粒子构成的话怎么办?"

费曼在这里故意卖关子，这个"有人"其实指的是莫雷，而那三个粒子指的是莫雷提到的夸克，也就是构成质子等亚核粒子的基本粒子。

好，这种称为介子（Kmeson）的粒子就与标准模型不符①。不

---

① 1955年前后，围绕着奇异的K介子，物理学上发生了一桩大疑案，当时物理学家发现有两种K介子：一种衰变成两个π介子；一种衰变成三个π介子。为了区别它们，便将前者命名为θ介子，后者命名为τ介子。θ和τ介子除了衰变的差别之外，其他性质几乎一模一样。假如认为θ介子和τ介子是同一种粒子，只不过具有两种衰变方式，那么，就要动摇现代微观物理学中一条神圣的基本定律——宇称守恒定律。在物理学中宇称守恒的意思是，左跟右是对称的。假如有两个系统，互相是对方的镜像，就是说它们只是左跟右不一样，其它完全一样。宇称守恒认为，除了左右不一样以外，它们以后的发展变化也应该完全一样。这条定律后来被李政道和杨振宁所打破，证实基本粒子的弱相互作用中，宇称并不守恒。这里指的是K介子衰变过程违背宇称和电荷联合对称法则。——编注

过这说明不了什么。如果这些粒子上的电荷是非整数（nonintegral）呢？啊！这样就能解释了！太棒了，真漂亮。听着，这样就可以产生这个！这个又可以解释那个！然后那个可以解释我们以前不了解的那件事！太令人兴奋了！所以现在我们知道万物是由三个不具有正常电荷的粒子所构成。

物理学家很久以前就注意到，所有的电荷似乎都是某个最小电荷的倍数。在一八九一年，爱尔兰物理学家乔治·强斯顿·史东尼（George Johnstone Stoney）提出，有一种不可分割的基本粒子携带这个基本电荷，并为此创造出 electron（电子）这个全新的词语。几年后，用阴极射线做实验的科学家观察到个别的电子。从那时起，没有人观察到电荷大小不等于 1、2、3 或电子电荷其他整数倍的离子或粒子。因此，当莫雷首度提出夸克时，“非整数”（或分数）电荷的观念变得非常具有争议性。然而，如同弦论中的神秘的额外维度，“非整数”对他这个理论的一致性是必要的。

莫雷知道可能会有负面反应，所以早期他在提出有关夸克的论文时比较迟疑。他没有把探讨夸克的初始论文投到《物理评论》，他担心会遭到编辑和评审的抨击，因此他选择在威信较差的期刊上发表它。起初，费曼也怀疑过夸克理论，但最后，他最初的犹豫似乎反倒让他对发展出这个理论的莫雷更加赞赏。

当你眼前的一切都具有整数电荷时，要摆脱所有电荷都必须是整数的命题，需要想像力。想像力会让你有勇气说，电荷或许不是我们长久以来所认为的那样。这当中有个保守主义的问题。我们已经建立起无论在何处，万物都是整数电荷的观念。无论何处都一样！所以你会设想，构成万物的物质也具有整数电荷。这似乎很合理，而且没有人会有其他想法，因为似乎没有必要那么想，也没有证据可以证明。

而等你努力钻研后，你发现一些出乎意料的事——一些其实早已存在，但被你刚刚发现的事，你会觉得起初那一切看起来就像是魔法！非常好玩！非常有趣。我研究过许多小问题。我喜欢扮演这种角色。

听着费曼的讲话，我豁然开朗。我何不摆脱时空只有四维的想法？如果弦论需要再多六维的话怎么办？我想，这个“如果……怎么办”的问题值得深入的研究。

FEYNMAN'S RAINBOW 费曼的彩虹

12

TWELVE FEYNMAN'S RAINBOW

春天近了。在帕沙第纳市，春天是很棒的季节，天气温暖，但不会太热，雨又没有冬天多。这时最适合享受蓝天、棕榈树和苍郁的圣格布瑞尔山（San Gabriel Mountains）。雷终于遇到他喜欢的女孩，或许该说是找到了喜欢他的女孩。雷说，唯一的问题在于她住在华盛顿州的贝勒维尔市（Bellevue）。但我还看出别的问题，比如他没有把担任清洁员的事告诉她，只说自己替市政府工作。此外，他们唯一的共同点似乎是两人的数学都很好，至少基本数学不错。但是雷刚好厌恶数学，所以我并没把数学共通点视为他们的利多。他对她似乎很认真，所以我也替他感到高兴。他甚至考虑搬到离她比较近的地方，她在当地一家叫做“微软”的小软件公司工作，他认为或许她可以替他找份工作。我出于私心，自然希望他别搬出去。

由于我经常跟雷讲加州理工物理系的事，特别是他口中的“费曼那家伙”，雷决定亲自去看看那个地方，见见那家伙。我同意了，但心中还是有点忐忑。要把一个话多、爱吸大麻、厌恶数学却热衷谈论哲学的人，介绍给态度鲁莽、喜欢数学、讨厌谈哲学、又极度珍视时间的年长教授，不是没有风险。但雷和我是朋友，所以我同意了。

雷经常问我，物理学家做什么，又为什么做那些事。有一次我用爱因斯坦的话回答他，那是我在《万里任禅游》[①]（Zen and the Art of Motorcycle Maintenance）里读到的，“人类尝试以最适合自己的方式，为自己创造简化易懂的世界形象……以便征服它……让这个宇宙及其结构成为情感生活的枢轴，以便在纷乱的个人经验中找到和平与宁静。”

“那就是爱因斯坦的风格，”雷说，“他就像站在云端一样，我想知道的是实际的世界。我想知道……你—们—做—什—么，还有为—什—么—做?”他刻意慢慢说出每一个字，仿佛这样就可以赋予它其他的意义。但就算有，我也猜不出来。我想让他亲自去校园看看，我觉得会比我讲再多无用的话有效得多。

在前往学校的路上，我试着拿侦探做比喻。

“这很像福尔摩斯或洛克福德，视你的个人风格而定。首先，你得选择一个问题。”

“就像选择要破的案件?”

“对。差别在于侦探只能接受分到的案子。物理学家则可以自己选择问题。”

“你们有类似美国联邦调查局那样的十大通缉要犯的名单吗?”

“当然，有些问题是公认重要的，但你得小心，这种问题有很多人研究。所以最好找一个只有你能看出其重要性的问题，但它得真的重要才行。”

---

① 1968年罗勃特·M·波西格与长子克里斯一起骑着摩托车从双子城出发，在美国中西部旷野、洛矶山区和西海岸从事心路探险。本书即为追记这次旅行之作。——编注

“然后你寻找线索。”

“对，但这全都在你的脑袋里进行。你仔细思考可能性，找出一些构想，也就是线索。然后你可以运用数学来追踪这些线索，看这些构想是不是跟你原先所想的结论一样。这通常不容易做到，因为你不知道究竟该从哪里入手来运算。我把意思说明白了吗？”

“很抽象，只听得懂字面的意思。”

我露出微笑，“你好像有点懂了。”

在我的办公室短暂停留后，我们走到大厅，绕过转角。已经有些研究生在研讨室外面乱晃。物理学家是靠讨论而活的，他们在哪里都会谈物理，就像一般人会聊体育或天气一样。这让他们有机会交流，史瓦兹就是靠这样才做出他最伟大的突破，至少他本人认为那是一个突破。几年前，他经常不定期地和麦克·格林（Michael Green）在瑞士的欧洲核研究中心（European Center for Nuclear Research）的自助餐厅聊天。有一次他们俩突然发现，弦论也是一个重力理论。假设他们是对的，量子色动力学可以延伸至包括重力在内的领域，这肯定会成为全世界的头版新闻，诺贝尔奖也如在囊之物。但是由于没有人认为弦论是正确的，因此一个不正确的理论有可能包含对重力的描述，其他人就算听了也不会有什么反应。

我很钦佩史瓦兹，即使一再遭到拒绝，他仍利用每个机会积极推销他的理论。

今天他和格林就他的研究召开研讨会。任何教员或学生只要发现（而且经常还没发现）值得解释的地方，就可以利用研讨室，让全体同事了解你的研究。就史瓦兹的情况而言，所谓的“全体”可能只是少数费心参加的人，但史瓦兹总是以微笑面对，而且他所开的研讨会似乎比系上的其他人都多。

我也很钦佩他的另一点。史瓦兹跟我一样，也是柏克莱毕业的。在六十年代时，他在柏克莱的博士论文指导教授是吉欧佛烈·休(Geoffrey Chew)。休领导研究另一个抱负远大的理论——S－矩阵理论。这个理论的目标和原理跟弦论类似，它的确热门了几年，但最后却没有成功。可是休并没有放弃，而且在他持续研究的数十年中，也曾像史瓦兹一样受到人们的暗地嘲笑，也相当寂寞。最后休没有成功，而他一度璀璨的生涯也遭人遗忘。史瓦兹在休的阴影下做研究，在看似重蹈休的覆辙时，仍能带着微笑继续前进，对我来说，这就已展现了他伟大的品质。

我知道雷绝对听不懂这场研讨会，其实我也半斤八两，但既然他老是爱问我们整天“究竟”在做什么，我最好让他体会一下那种滋味。

大约只有十个人参加了这场研讨会，其中有半数是史瓦兹的研究生。但在研讨会开始不久，莫雷和费曼双双加入在研讨室外徘徊的那群人。这是我第一次看到他们俩同时参加研讨会，我猜这意味着待会儿可能会很精采。

几年前，在费曼和莫雷较常一起参加研讨会时，加州理工的研讨会向来以残酷著称。莫雷可能会喋喋不休地向你挑战，连最小的细节也不放过。更糟的是，如果他认为你说的内容不重要或乏味不堪，他可能会拿出报纸来看，满脸无聊的样子。费曼也总是很粗鲁，不愿接受错误或草率的想法，他似乎乐于享受猫捉老鼠的游戏。对费曼来说，物理学是一场秀，如果你的回答无法令他满意，他有时会站起来，直接说出自己的看法，然后大步离开。由于莫雷和费曼两人的作风太可怕，至少就曾有一位未来的诺贝尔奖得主，对到加州理工演讲踌躇不前。

我们走过去时，莫雷正在跟一位显然刚从蒙特利尔（Montreal）来的访客说话。只有莫雷坚持用当地人的方式，把这个城市的名字念成“蒙瑞尔”。

费曼转向莫雷，“哪里?”

“蒙瑞尔。”莫雷重复。

“那是哪里?”费曼说，“我从没听过蒙－瑞－尔。”他故意夸大莫雷的发音。

“我发现你听不出的城市名还真多。”

“从逻辑上来看，这说明不是我无知，就是你念它们的方式很奇怪。”

“不一定，”莫雷回答，“从逻辑上来看，它可能代表两者都是。”莫雷总是力求精准。

费曼露出微笑，“那么，我们就让大家各自下结论好了。”

莫雷假笑，走进研讨室。费曼发现揶揄莫雷很好玩；莫雷则每次都会被他激怒。我悄悄把费曼指给雷看。

“另外那个是谁?”他问。

“莫雷·盖尔曼。”

“喔，那个夸克家伙。”

“对，是那个夸克家伙。”

“他们俩老是那样说话吗?”他问。

我耸耸肩，我很少看到他们俩同时出现。

“他们让我想到我爸和我妈。”雷说。

研讨会开始后，费曼大声说，“喂，史瓦兹，今天你是在几维的世界?”

这不是我第一次听到他这么嘲讽，他的意思是指弦论需要额外的维度。但他的语气是温和的，这可是有意义的，因为费曼的嘲讽并不总是这么温和。所以我并不觉得能从这种嘲讽看出他对这个主题所抱持的立场。我站在那里跟雷一起等待着接下来的进展，同时感到自己有点紧张。我已经预期会看到一场激辩：费曼和莫雷会不会联手对付史瓦兹，还是最后会演变成他们两人彼此对战?我觉得有点不好意思把雷带来这里，这就像父母的争吵被朋友听到一样。

史瓦兹露出微笑，开始讲话，他看上去一点也不拘谨。他甚至说了几个笑话，但几乎没有人笑。多年后，史瓦兹打趣地告诉我，在他成名后类似的笑话总能引起哄堂大笑。

费曼和莫雷礼貌地聆听，只问了几个专业的问题，没有嘲弄的评论。

几分钟后，我看向雷，他已经睡着了。

演讲结束后，在研讨室后侧的茶点桌旁，我向费曼介绍了雷。我已经警告雷不要找碴，而且看在老天的份上，不要问有关心理学或形而上学的问题。我先前已经告诉雷，费曼在医生的吩咐下不能讨论形而上学。当时他怪怪地看了我一眼，但我相信他会表现出最好的一面。费曼转向我。

“这场研讨会有没有让你对你感兴趣的‘胡说’理论，学到什么有用的东西了吗?”

“你一直知道我感兴趣的是弦论?”

“这是我们系里唯一的胡说理论。”他说。

“如果这理论是胡说，”雷问，“你怎么还来？”

费曼露齿而笑，“我是来吃饼干的。”

我们跟着人群走到研讨室外的走廊。那位一直在偷听我们谈话的蒙特利尔的访客走过来。

“我觉得我们不该劝年轻人不要研究新理论，只因为它们不被物理学的传统所接受。”他说。

他的挑战语气让我觉得他可能很擅长在柏克莱的集会中宣扬反对文化帝国主义。但费曼并没觉得有任何不悦。

“我不是叫他不要研究新事物，”费曼说，然后他看着我，“我只是说，无论你选择研究什么，都要对你的研究提出最严厉的批评。还有，研究的理由要正确，除非你真的相信，否则就不要研究。因为如果最后没有成功，你会落得浪费许多时间的下场。”

那位访客说，“我研究自己的理论已经十二年了。”

费曼问他研究的是什么理论，他简短地描述了一下。到最后，他似乎因为没有引起我们的瞩目而显得有些焦急。我觉得光是礼貌地倾听，我们就应该获颁“给愚蠢理论相同时间礼遇”这项运动的大奖，我确定这人也一定是支持这项运动的人。他似乎也感觉到了这一点，因为他加了一句，“物理界花了许多年的时间才认可爱因斯坦。他们也要许多年的时间才会认可史瓦兹。我不在乎他们是不是也要那么久才认可我的研究。事实上，这是一种恭维。等到我的研究终于获得认可时，这会使一切更加甜美。”

我觉得这家伙的态度绝对不会博得费曼的好评，但他似乎听得很专心。等这家伙说完后，费曼礼貌地点点头，仿佛学到了什么新知。

然后他看着我说，“那就是我所说的浪费时间。”

那位访客忿忿地离去了。雷对费曼说，“老兄，你怎么那样对他说话？太冷酷了。”

我用手肘顶顶雷。

费曼说，“你不喜欢我刚才对他说的话？为什么？他想要认可，我给他认可。我认可他是个自大的傻瓜。”

就在这时，海伦出现在大厅另一端，手里拿着一封信，显然是费曼的。她比了一个手势，我想她是指她会把它留在他的办公室。费曼点点头。然后她看到我，叫我过去。我用眼神警告雷“小心你说的话！”他回我的眼神像在说“什么？”我不放心让费曼单独跟雷相处，但是当海伦叫你时，你也只能服从。

等我终于从她位于转角的办公室回来后，走廊上已经空无一人，研讨室只剩下雷和一些奶油饼干。

“怎么样？”我问，“他以后还会不会跟我说话？”

“放轻松，”他说，然后加了句，“你需要抽点大麻。”

“雷，闭嘴！”我四处张望，确定没人听到这句话。当时我并不知道，费曼自己也试过大麻，甚至迷幻药。

“别担心，一切都很顺利。谁叫我们哥俩好呀。喂，你怎么没告诉我他得过诺贝尔奖。”

“他告诉你这个？”

“是啊。”

“我听说他从来不谈这个。他认为诺贝尔奖不公平，也很容易让人分心，可以说它是一个虚幻的神。他告诉我，当第一位听说这件事的记者在半夜打电话给他时，他叫记者在适当的时间再打来，然后就挂断了。”

“或许那真是他的感觉。但他说不定也感到很光荣。那是人性，不是吗？也许他在面对你时，没像面对我那么坦白。”

“你们还真是哥俩好啊。”

“你知道他还跟我说了什么吗？他终于向我解释你们物理学家在做什么，还有那么做的原因。”

“真的？”

“真的。”

“他怎么说？”

“门儿都没有，”他说，“你别想这么轻易得到答案。你自己去问他吧。最好你能找到自己的答案。”

“你现在的语气跟费曼一模一样。”我说。

“我们在一些事情上看法的确相同。”

我没再追问。但我心想，我总会设法从费曼那里得到答案。

FEYNMAN'S
RAINBOW
费曼的彩虹
13

THIRTEEN | FEYNMAN'S RAINBOW

一九八八年，我以前在柏克莱的同学开始写有关弦论的内容，现在它已成为物理系研究生的必备参考书。他原本计划在一年后，也就是一九八九年的六月（“顶多加减一个月”）完成它。延期写完的情况并不罕见，但是这本书一直到一九九八年才出版。他花了十一年才写完，比原先预计的时间长了十倍以上。为什么？因为弦论很深奥。有许多有名的故事表明，在早期、甚至在较近的年代，也只有极少数人了解相对论和量子理论。但我们可以毫不怀疑地说，即使今日，也没有人了解弦论。

本质上，大多数的新理论都是主动探索的结果，它们来自新的物理原理，或者需要解释或配合的实验事实。但弦论的源起不同，它跟盘尼西林一样是在无意中发现的。理论物理学家仍在寻找弦论所代表的新的物理原理。实验物理学家则在钻研可以在实验室测试的实验结果。研究弦论的物理学家就像古生物学家一样，总是耐心地挖掘，仿佛他们正在揭开某种不明起源的巨大的生物骨骸。

这一切都始于一九六七年的夏天。当时还没获得诺贝尔奖的莫雷，到西西里岛艾利斯（Erice）的埃托里·马约拉纳中心（Centro Ettore Majorana）讲学。他谈到S－矩阵理论的一些议题，也就是史瓦兹的博士论文指导教授吉欧佛烈·休一直支持、但还未获得成功的理论。观众席中有一位名叫加布里尔·维纳齐亚诺（Gabriele Veneziano，当时在以色列工作）的意大利籍研究生。莫雷跟往常一样擅长分类，维持希腊风格，他讨论了质子和中子的撞击数据中那些惊人的规律现象。这激起维纳齐亚诺的兴趣，他花了一年的时间，总算找到一个简单的数学函数，神奇得可以描述这些规律现象。这可是货真价实的“神奇”，因为维纳齐亚诺没有运用任何物理学的理论来导出这个函数；他只是发现了可行的数学而已。物理学家又花了两三年的时间，才提出这个函数“为什么”可行的原因。这个原因在一九七〇年首度由南布（Nambu）和萨斯坎（Susskind）提出，他们发现如果在建立模型时不把质子和中子视为点粒子（point particle），而是振动的细微弦，维纳齐亚诺的数学函数就会来自一个基本理论。

结果，这个看似简单的构想在内容的丰富程度及数学计算的难度上，都远远超过当时任何人的想像。此外，虽然它是个有关粒子组成的物理模型，但它不是一个物理“原理”（例如光速是恒久不变的），它无法在你整理发展这个理论所有的可能方法时，引导你思考。这也是弦论这么难的原因之一。

在试着两次提出弦论的问题后，有一天下午我走进费曼的办公室，想问他真正的想法。

“我们可以谈一下弦论吗？”我问。

“我不想谈弦论。我对它的了解不多。”他把目光移回自己的工作上。“你想谈弦论，就去找史瓦兹。”

“我找过了。”

“再去找，我正在忙。”

“它太难懂了，而且我想决定它是不是值得我去了解。”

“我已经跟你说过，这一点只有你才能决定。”

“你不觉得它从某方面看很有希望吗?”

“很有希望? 有什么希望? 它有希望告诉你质子的质量吗? 没有。它到底有希望告诉你什么?”

“唔，还没人知道要怎么从中得出定量预测，但是……”

“你错了。它的确做了定量预测。你知道那是什么吗?”

我瞪着他，脑袋里一片空白。

“它要求我们要住在十维世界才行。一个需要十维世界的理论合理吗? 不合理。我们看得到那些维吗? 看不到。所以它把它们卷拢成无法探测的微型球体或圆柱体。它唯一做的预测还不得不用解释来消除，因为它与实际观察不符。”

“我知道……还有很多要理清的问题。但我感兴趣的是弦论有把所有已知的物理作用力，统一成单一理论的潜力。这甚至包括重力。”

他奇怪地看着我，脸上有种你跟天主教的主教聊天，却不经意地问到他的太太和子女时，他脸上可能会出现的那种表情。

“一个统一场论。这不就是我们大家想要的吗?”我问。

“我不‘想要’任何东西。自然跟我‘想要’什么无关! 你怎么知道有一个统一场论? 说不定有四个! 说不定每个作用力都有一个! 我不知道。我不会告诉自然，它该做什么。自然会告诉我。这个讨论根本没有意义! 也开始让我厌烦! 我再说一次，我不想讨论弦论!”

他说到最后，声音大了起来，还开始挥舞手臂，我吓坏了。首先，我以为我们之所以研究物理，是因为我们对自然的美丽与简洁怀有热情，而四个理论在我看来并不怎么简洁。其次是因为从他脸上的表情看来，我怕他会站起来打我。我想我最好赶快走人。

“听着，我很报歉，不过我只是想了解你的看法。”

“我的看法？我的看法是你正处于低潮期，你想急着找些东西来研究。”

“这有什么不对吗？”我问道。

“你不该来找我谈弦论。”

“你的意见对我很重要。”

“就像我以前跟你说的，真正对你重要的，不是我的意见，而是‘你的’意见。”

“对不起，打扰你了。”我说着，准备离开。

“听着，”他说，“选择研究主题跟爬山不一样。你不是因为它已经在那里而研究它。如果你真的相信弦论，你不会来这里问我，而是来这里‘告诉’我。”

我觉得自己像刚被爸爸责骂的小男孩。回到走廊后，我又被责骂了一次，这次是被“妈妈”。我遇到海伦，虽然她是整层楼的秘书，但主要替费曼和莫雷工作。这位中年女性虽然瘦小，却有对抗他们两人的勇气，如果她想对付我，更是不费吹灰之力。她皱着眉，不高兴地瞪着我。

“你跟费曼教授说了什么，让他这么生气？”她问。

我耸耸肩。

“你应该知道，当他在工作时，你不该去打扰他。”

“我想我大概选错了话题。”

“哲学?”她问。

“不是，是弦论。”我说。

“噢，老天，那一样糟。”

“我可以问你一个问题吗?”我说。

“也许吧，”她说，“什么问题?”

“如果大家都对史瓦兹的研究这么怀疑，为什么他还能在这里待九年?”

她看了我一眼。我不知道那是代表“你是说你不知道?”还是“这关你什么事?”但一会后，她低声说，“有人罩着他。”

“啊，是谁?”我说。

她回答，“莫雷。”

FEYNMAN'S RAINBOW 费曼的彩虹

14

FOURTEEN | FEYNMAN'S RAINBOW

以后的几天，我在办公室都待到很晚。以前我曾听康斯坦丁说，莫雷和他女儿已经疏远了好几年，后者加入后来成为美国马列主义党的党派，而且是位狂热分子。虽然莫雷嘲弄地称里根（Reagan）为“雷枪”（Ray-gun），但丽莎反里根的程度已经到了高唱“打倒里根，资本主义反动分子的头目！”的程度。

我坐在书桌前，思考丽莎的政治观和莫雷暗中对史瓦兹那颠覆性理论的支持，认识到最具讽刺意义的是，这两者之间具有某种相似性。其实丽莎的政治观之于主流政治观，就像弦论之于主流看法，或者早先莫雷发现或发明的分数电荷之于主流观点。

就理论而言，女儿是否从父亲那儿继承到对显而易见的事实无动于衷的能力，例如我们的世界没有弦论中的额外维度、或阿尔巴尼亚缺乏食物、衣服和庇护等资讯？他们是不是都有看穿现实的外观、深入根本真相的天赋（或者说都像中了咒语）？

我的沉思被莫雷打断，因为我再度听到他对着电话筒吼叫的声音。这让人感到不安，倒不是会对我造成困扰，反正我还嫌我的办公室太安静了。对于仍在想着共产主义的我来说，我之所以不安，是因为想到在话筒另一端、遭受他这番长篇大论攻击的可怜人。我决定如果海伦可以跟他提这件事，我也可以。我多少会教他一些道理。

我走到走廊时，心跳开始加速。毕竟，莫雷需要海伦。在我看来，除了他和费曼以外，海伦也是这个系的灵魂人物，而我则是可消耗品。莫雷不费吹灰之力就可以毁了我的前途。我开始想像最糟的结果，比如系里不再供应我纸和粉笔，或是我的办公室会被迁到锅炉室，或是在丽莎的协助下，迁到阿尔巴尼亚去。不过等我走到莫雷的办公室门口时，吼叫声已经停止了，我松了一口气。

我注意到他的门开着一条缝，这很不寻常。莫雷和费曼通常会把门关上，既能减少被学生和我这类年轻同事打扰的机会，也可以挡掉那些偶而爱来骚扰一流学校的疯子。这些疯子会带着他们的新发现过来，例如速度比光子快的粒子，或宇宙是一个煎饼，而我们则是糖浆；不管他们相信的是什么，他们总认为自己是新的爱因斯坦。如果你不幸遇到这些尚未被世人发现的天才，可能得耗上几个小时。你在拒绝他们时也得小心，因为他们有时带着武器。在柏克莱大学，有一次一个人遭拒后，带着刀在物理系大楼外徘徊了好久。我的博士论文指导教授也曾提到，有一次在哥伦比亚大学，有一个人在被拒后带着枪回来，由于教授外出，他就杀了秘书。

我从门缝偷偷向里张望，原本以为会看到他靠在椅背上，微笑着享受刚刚的胜利。但我看到的却是一个似乎快要心碎的男人，他的手肘撑在书桌上，头埋在手掌里，表情悲痛。我想对他吼叫的心情完全消失，相反地，我为他感到难过，我不知道是什么令他如此伤心。第二天，我向希腊“先知”康斯坦丁寻求答案。他告诉我，莫雷的太太最近因癌症去世了。

我决定不再偷听，快点离开，可惜太晚了，他已经看到了我。

“有什么事吗?”他说。

我站在那里，像被逮到一样。我要说什么？我是来告诉你别再对别人大吼大叫，然后我决定不再暗中调查你的事?

“哈啰，进来。”他从门缝里认出是我。

我打开门走进去，觉得很不自在。

他接着说，“我想再次谢谢你把你弟弟那本很棒的书送给我。”

几年前，我弟弟史蒂夫还在念高中时，写了一本有关芝加哥地区的鸟类的书。莫雷热爱赏鸟，也是自然保护主义者。他可以倒背如流地说出不同鸟类的特征，就跟他说玛雅语那么自在。他或许也可以流利地说出上玛雅地区的鸟类特征。因此当我搬到隔壁时，就送了他一本我弟弟的书，庆祝乔迁之喜，尽管乔迁的人是我。

“你真好。”他继续说。

“我跟我弟说你在读它时，他很兴奋。”

莫雷露出微笑，“有什么可以帮忙的？我前天在约翰的弦论研讨会上看到你了。”

这似乎是个好机会。

“我在想……不知道你对弦论有什么看法?”

“我觉得它很有希望。”

“在哪一方面有希望?”在有了和费曼那次的对话经验后，我问得很小心，不想再说出任何蠢话。但我一出口却又说错了话。因为只要稍微懂一点弦论的人都应该知道，为什么有些人会认为它很有希望。费曼可能会为此轰我一顿，但莫雷似乎并不介意。

“它有可能统一所有的自然作用力。找到可以包容重力、电力和所有作用力的单一理论，这是爱因斯坦的梦想。这难道不会对我们有所启发？想想看，光靠一个简单的公式，就能解释粒子的多样性、以及它们所有的互动！”

“但人们还是非常怀疑。”

“他们有权利怀疑，但这仍是值得做的事。听着，将近十年前，我把约翰带到这里的时候，我们甚至不知道重力和弦之间的关联。那时候我不知道弦会有什么用途，只知道它一定很重要。它实在太美，不可能不重要。但是别人不一定要有相同的看法。后来，当约翰和格林发现它和重力的关联时，那一刻实在令人感动，而约翰就在加州理工，也让我感到既光荣又高兴。但是有些影响力大的人并不了解这些，他们狂热地反对，甚至充满敌意。”

“我想那些人没看出它和实在的关系。”我说。

“这是因为弦论可以说是最不正统的研究。创造这个理论的过程本身就是一种发现，而不是发明。他们在寻找的是原本就存在的事物，而不是为了符合实验数据而创造某个事物。现在的进展很缓慢，但他们正一片片拼出一个独特、一致的理论。这也是我支持他们的原因，我的直觉告诉我，那当中一定有些东西存在。我就像在努力维持一个为濒临绝种的理论而设的自然保护区。”

后来我发现，其实费曼并不反对弦论这样的理论已经“存在”、只是等着人们挖掘出来的想法。但费曼认为，唯有原理或对自然的观察才能引导我们找出正确的理论，而不是靠科学家对统一化的执著。这是费曼的巴比伦作法：热爱现象，而非解释。

因此费曼蔑视弦论，而莫雷支持它。这就是费曼和莫雷：被彼此的天分吸引，又因彼此的哲学观而相斥，两人就在这种平衡下在各自的轨道上运转着。不知为何，我无法想像他们两人当中少了其中任一人的情景。所以当费曼去世时，我总觉得莫雷会飞出轨道，就像地球如果突然消失，月球会脱离轨道一样。

科学的目标或许在于描述真实，但只要是由人类进行的科学，人的特质必定会对这种描述留下印记。费曼型的人遵循数据，而莫雷型的人则受哲学观指引、并在明确分类自然的需求下行事。最后，可能是某一类型或者两种类型的人都成功了，如果是都成功，这时就会有一个调停者出来证明如何调合他们的理论，如同费里曼·戴森（Freeman Dyson）为费曼图所做的事。如同在量子力学中，能量不是被视为粒子就是波，不同的看法可能都是正确的，它们只不过是从不同的角度，来看同一个多面向的奇迹——自然。

莫雷被证明是个成功的保护主义者。尽管有不小的压力要求不要和史瓦兹续约，但他最近反而小幅升迁，成为资深研究员，并且又获得三年的新合约。虽然莫雷没有为他争取到正式永久职位，但就目前来讲已经够用。

等我对莫雷太太过世的事有所了解后，我对于他仍能专心替史瓦兹争取这么多，感到由衷地佩服。玛格丽特生病超过一年，她得的是大肠癌，而且已经扩散至肝脏，无法救治。

起初，莫雷面对癌症的态度跟费曼差不多：学习有关它的一切，充分参与治疗的决策过程。到了最后，他们的做法有些不同。费曼跟平常一样遵循数据——他知道已经回天无力，任何人都帮不到他什么。但莫雷不太能接受以他的聪明才智及所有现代科学的可用资源，依然无法拯救玛格丽特的事实，她是他唯一真正的朋友。即使在得知没有治疗希望后，他还是绝望地想以实验性疗法保住她的性命，并期望这段期间能有新的疗法问世。

在这段期间，他仍设法让史瓦兹继续在加州理工待下去。

康斯坦丁告诉我，目前的普遍看法是，玛格丽特过世后的这段时间里，莫雷变得温和了许多。他不像以前吼得那么大声，也很少发火。康斯坦丁说，他好像不是以前的莫雷了。我从没听说过“以前的莫雷”是什么样子，但在观察他一年后，我也发现他好像逐渐变得好脾气了许多。我没再听到他的吼叫声。我很好奇，是因为他的精力已被耗尽了，还是有更深层的因素？是不是在丧失至爱后，他找到了更好的生活方式？我终究还是为他感到遗憾。不是因为他不再觉得有必要大吼大叫，也不是因为他不再认为自己必须一再证明自己有多么出色，而是因为他先前五十二年的生命是这样度过的。

FEYNMAN'S RAINBOW 费曼的彩虹

15

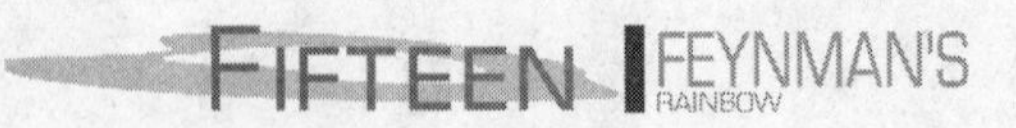

FIFTEEN FEYNMAN'S RAINBOW

黄昏时，康斯坦丁和我走在橄榄树人行道上，校园里非常安静。雨从昨夜下到今晨，已经逐渐变小了。橄榄树的树枝在刚刚露脸的太阳的余晖里闪烁着。前不久，费曼建议我去看看附近一栋宿舍的一个大学生。现在我终于决定前往，并找了康斯坦丁跟我一起去。

他两眼通红，这又是跟梅格厮混一夜的结果，他们先是在好莱坞某家非常红的酒吧喝酒，然后他的菲亚特就在雨中抛锚了。那辆车很不错，但不太可靠，不过对康斯坦丁来说挺好用的。他和梅格搭拖吊车回家，然后做了一整夜的爱。康斯坦丁提过几次，他和梅格在智识层面并不契合，但在其他方面显然还不错。在我看来，他们似乎是天生一对，就像《大都会》（Cosmopolitan）和《雪茄迷》（Cigar Aficionado）杂志的封面模特儿。

我觉得一个人去有点寂寞，所以很高兴他答应一起来。他就是这样的人，随时准备冒险。

“这个人有什么特别，为什么费曼要叫你去看他？”他问。

我耸耸肩。费曼只说会挺有趣的，而且他在念“有趣”（interesting）时总会强调第一和第三个音节（IN-ter-ES-ting）。那位大学生收集蜘蛛，我猜他的收藏也许倒值得一看。

康斯坦丁优雅地走在潮湿的人行道上，他脚上那双考究的意大利鞋上连一滴水都没沾到。水泥路面上八成有一个凹洞，我不小心踩进一个深水坑，把球鞋都弄湿了。就在我甩掉脚上的水时，康斯坦丁问我要不要跟他一起合作研究。

“别管弦论了，”他说，“也别想用数学解量子色动力学。电脑才是答案所在。电脑才是我们的未来。你要想成功，就得现在加入。”

康斯坦丁研究量子色动力学，但他属于为数愈来愈多的电脑物理学家，在所谓晶格理论（lattice theories）的领域进行研究。既然人类显然解不开量子色动力的方程式，他们就采取由电脑来破解的方式。而既然无论电脑的运作速度有多快，都无法处理时空连续体的无限点，晶格理论学家就必须以有限的晶格点重写这些方程式，因此才被称为晶格理论学家。

康斯坦丁的提议令我吃惊。他的语气听起来有点像雷在谈他的女朋友和她在贝勒维尔的工作。雷曾经说，“以后你就会看到，有一天电脑会无所不在。它们会像电影《2001：太空漫游》① （2001：A Space Odyssey）里的主控电脑‘哈尔’（HAL）。”

“或许吧，”我说，“但它们会捡垃圾吗?”

“不会，我想我的工作不会被抢走，”他说，“但我打赌它们一定能吸大麻。”

“那样的日子会很悲惨。”我说。

---

① 著名导演斯坦利·库布里克的代表作，电影探究先进科技的前景及危险性。在一次外太空探险任务中，一台名为 HAL9000 的智能电脑给宇航员带来了威胁，宇航员们不得不一次次冒着生命危险改变原计划。

——编注

"也不尽然，"雷说，"它们不会取代人类，只会辅助人类。如果有'哈尔'一起吞云吐雾，开起派对来一定更有趣。"

我在写电脑程式方面有一点经验，但我不觉得它们可以增加派对的乐趣，也不觉得它们是无解理论的万灵丹。我喜欢康斯坦丁，但我并不真的相信他的做法。从电脑获得答案，就像从黑盒子找答案一样。我认为它们可以提供解答，亦即数字结果，但是我们以数学方法亲自解开或逼近方程式时所获得的了解，却是电脑无法提供的。基于这个原因，我甚至不信任经由电脑得出的解。我以前从没向康斯坦丁提过这些想法，也看不出现在跟他提这些有什么好处。此外，我不相信这个做法，并不代表它是不对的，或我不该采取它。我必须把它跟我个人的直觉相互权衡，因为晶格理论比弦论流行得多，对在未来取得永久职也有用得多，而且我说不定很喜欢跟康斯坦丁合作。

"嘿，"他看出我的犹豫，"我们计算质子的质量。这是任何人用纯粹的数学都无法做到的。"

他说得对。对实验主义者来说，质子的质量很容易测量，但在理论上，质子的质量取决于质子内的夸克、以及它们透过强作用力的互动，这是量子色动力学中还没有人知道要怎么解的问题之一。康斯坦丁的电脑解法却造成轰动：即使许多怀疑电脑的人也对他的答案之精确感到惊异。

他对我眨眨眼，"它把我送到加州理工了，不是吗？"

我们找到那位"蜘蛛人"的宿舍，他前来应门。此人长得瘦瘦的，身上穿着一件印有加州理工英文字样的超大 T 恤。房间很大，采光充足，但我觉得他可能并不喜欢这样。我想，就算待在洞穴里，他可能也同样舒服；这房间的主要房客——数百只蜘蛛，大概也是差不多的感觉。

房间里挤满牌桌，摆放方式很符合数学效率，但对人类并不方便，牌桌之间几乎没有供人经过的通道。桌上放着一排排的小塑胶杯，每个杯子里都装着一只蜘蛛，或至少一只长得像蜘蛛的昆虫，大大小小、毛的秃的都有。他不时向我们介绍哪些是有毒的。

“它们爬不出来，”“蜘蛛人”说，“你们看。”他把一个杯子斜放，证明杯子的表面对蜘蛛来说太滑，所以它们爬不出来。这些杯子的表面涂了蜡？还是喷了聚丙烯酰胺① (PAM)？我不知道，但无论他的诀窍是什么，都很有效。我心想，幸好有效。然后我好奇地想，万一发生地震怎么办？去年十一月犹瑞卡附近就发生了 7.2 级的地震。而康斯坦丁的想法显然比我要实际很多。

因为他在看过这些收集后问道，“你睡哪里?”

这时我才惊奇地发现这里没有床，连一张椅子都没有，只有这些放蜘蛛的桌子。

“桌子底下。”蜘蛛人回答。

“女孩子一定很喜欢。”康斯坦丁说。

“我都是到她们那里去做那档子事。”

从他的兴趣和加州理工的女学生很少的情况来看，他居然还找得到做那档子事的机会，让我觉得很不可思议。我甚至觉得他不需要做那件事，他看起来已经爱上这些蜘蛛。

---

① 具有絮凝粘合、降阻、增稠、悬浮、成膜等多种功能。可用于石油开采，水处理、造纸、高吸水性树脂、冶金和洗煤等领域。 ——编注

接着我们就离开了。

“我在想费曼为什么要你去看那些?”康斯坦丁说。

“我不知道，但他说得对，这的确挺有趣的。”我说。

“病态得有趣。”他说。

我耸耸肩说，“我觉得他看起来很快乐。”

“嗯……有时病态的人最快乐。他们因为病得太重，所以根本不知道怎么才是不快乐。”

他点了枝雪茄。

“史瓦兹可能也很快乐。他可能在一堆弦下面睡觉。”他慢慢呼出一口翻腾的烟雾，悠悠地说道。我看他吸得好像很满足，突然很想吸根烟。

“你想想看再告诉我要不要研究晶格，”他说，“我至少可以跟你保证一件事……你绝对不必睡在满是蜘蛛或弦的桌子下。”

我们边说边朝物理系的大楼前进，然后我看到费曼在远处走着。前几天我一直在找他，希望能与他不期而遇，看他还会不会跟我说话。我跟康斯坦丁说待会再去找他，然后朝费曼走去。

等我走到他旁边时，费曼正在全神贯注地凝视一道彩虹，脸上充满热情，一付他以前没见过彩虹的神情，或像这可能是他最后一次看到彩虹。

我谨慎地走向他。

“嗨，费曼教授。”

“你看，一道彩虹。”他说，但并没有看我。我松了一口气，因为他的语气里没有残留着过往的任何不悦。

我跟他一起注视那道彩虹。如果你真的专心看它，会觉得它令人非常难忘。在那段岁月，这不是我平常会做的事。

“我很好奇古人对彩虹的想法。”我沉思着说。古代有许多根据星辰而产生的神话，我想彩虹看起来应该同样神秘。

“这个问题应该问莫雷。”他说。后来我终究测试了费曼的说法，问了莫雷这个问题。我发现在土著文化和古文化方面，莫雷果然是本活百科全书，他甚至收集文化遗产。我从他那儿得知，纳瓦霍人①（Navajo）视彩虹为好运的象征，但有一些其他的印第安族视彩虹为连接生者与死者的桥梁。我记不得那些部落的名称，因为莫雷念它们的方式实在太正确，以至于我根本听不出来。

“我只知道，”费曼继续说，“根据一个传说，天使把金子放在彩虹的彼端，只有裸体的男人才拿得到。好像他们没有别的事好做一样。”他露出一抹调皮的微笑。

“你知道是谁最早解释彩虹的由来吗？”我问。

“笛卡儿。”他轻声回答。过了一会，他直视着我，问道：“那你觉得彩虹的哪一个特色，让笛卡儿产生做数学分析的灵感？”

“唔，其实彩虹是圆锥体的一段，当水滴被来自观察者后方的光线照射时，会呈现出弧状的光谱颜色。”

“然后呢？”

“我想他的灵感来自于他发现可以藉由思考单一的水滴，以及它的几何位置来分析这个问题。”

“你忽略了这个现象有一个重要的特色。”他说。

---

① 居住在亚利桑那，新墨西哥和犹他州东南部的美洲印第安人，是美国同时期的美洲印第安人部落中人口最稠密的。纳瓦霍族人以豢养家禽，技术熟练的纺织者，制陶者和银匠而著名。 ——编注

“好吧，我放弃。你认为是什么启发了他的理论?”

“我会说他的灵感来自于他认为彩虹很美。”

我怯懦地看着他，他回视我。

“你的研究进行得怎么样了?”他问。

我耸耸肩，“没什么进展。”我真希望自己能像康斯坦丁一样。对他来说，一切似乎进行得很顺利。

“我想问你一个问题。你回想一下小时候——对你来说，那应该还不是很久远的事——你小时候喜欢科学吗?它是你的最爱吗?”

我点点头，“就我记忆所及，它一直是。”

“我也是，”他说，“记住，这一切应该是很有趣的。”他说完就走开了。

FEYNMAN'S
RAINBOW
费曼的彩虹
16

SIXTEEN | FEYNMAN'S RAINBOW

在我认识费曼的短暂期间，他对我的生活一直有很大的影响，连我自己都不确定原因何在。我知道他不会是良师。费曼会避开任何与系里及行政有关的事务，对自己指导的博士后研究生或学生也很少提供协助。他甚至会请海伦寄格式化的奇特信函给跟他合作过、离开加州理工已经两年的资浅物理学家，说明他无法再替他们写推荐函，因为过去两年中他没有追踪他们的研究。他会努力避开任何他不感兴趣的活动。他有时很粗鲁，会刺伤人，但我每次看到他时，第一次遇到他时的那种感情就会自动浮现。为什么？

当时我并不知道答案，但是今日，身为两个孩子的爹，我终于认出这种感情。即使在历经五十余年的沉浮，即使在生命逐渐萎缩的岁月，费曼一直保持着赤子之心，生气蓬勃、快乐、爱玩、调皮、充满好奇……对什么都感兴趣。加一点头发，去掉一些皱纹，再加上健康，就可以看到五十年前在布鲁克林区，用自己编的意大利语大声责骂违规驾驶的年轻费曼。

在像费曼这样有赤子之心的成年人身边，会让你想对一切提出质疑，例如我们在生活中所做的一切，因为那些都是我们必须做的事——或至少我们以为自己该做的事，像是我们本想到户外看彩虹，却不得不待在室内和同事或客户开无聊的会，或是按照我们并不热爱的既定路线来规划职业生涯，只因为它应该是通往成功的路线。费曼以令人惊异的诚实态度面对他人和自己，就像我的两个小儿子，你没法强迫他做他不想做的事，就算做了，他也会抱怨。我则相反，在我还能选择自己要走的路时，我却在踏出步伐前就已妥协。对我来说，什么才是值得做的？什么能赋予我的生命意义？是弦论？晶格理论？还是能“窝在”某个地方，例如加州理工？

费曼在他的办公室里告诉我，他怎么找到自己在生命和物理学中的定位。

我原本就应该研究物理学。你知道我怎么知道的吗？我小时候有一个实验室，我常在那里玩。我总说我在做实验，其实我从没真的做过。等我上了大学后，才知道什么叫做实验。实验是检视构想的方法。但我的实验不是。我的实验是做一个光电池，它会在你走过它前面时发出钟声，或是让收音机能发挥作用之类的事。我的实验不是要找出某件事物，而是为了好玩。我常在我的实验室里玩，也常修收音机。当时在这个城市，又是在大萧条期间，而我只是个男孩，所以那没有花很多钱……我替我自己做了一个工具箱，买了零件。我知道自己在做什么，光是制造东西就让我玩得很高兴。

后来我发现理论分析也很好玩。我到麻省理工时原本念的是数学系。我去找系主任，然后问他，“除了教更高等的数学以外，高等数学的用途是什么？”而他回答，“如果你一定要问这个问题，就别继续念数学。”

他说得对极了，也教了我一课。

我之所以选择数学，只是因为我发现自己可以把数学念得很好。而且我不知道从哪里得到数学是属于高等层次的观念。其实我对数学感兴趣完全是拜应用科学所赐，但我先前并没看清这一点。

我对数学有兴趣，也对一切有用途的事物感兴趣。我所谓的用途是指应用、了解自然，然后“运用”这份了解，有所作为。不只是要创造更多这类逻辑的事物，这种怪物。当然，这么做没有什么错。我不是要贬低数学家。人人的兴趣各自不同。但我发现我的兴趣不在证明的精确，而在被证明的事物上，但这并不是数学家惯有的态度，他们通常偏好分析并建构证明的本质这类事情。我则对以数学关系证明的事实更感兴趣，因为我想运用它们，所以这两种态度是不同的。

我找到自己在物理学中的定位，这就是我的生活。对我来说，物理学比世上任何其他的事物都来得有趣，否则我不可能研究它。

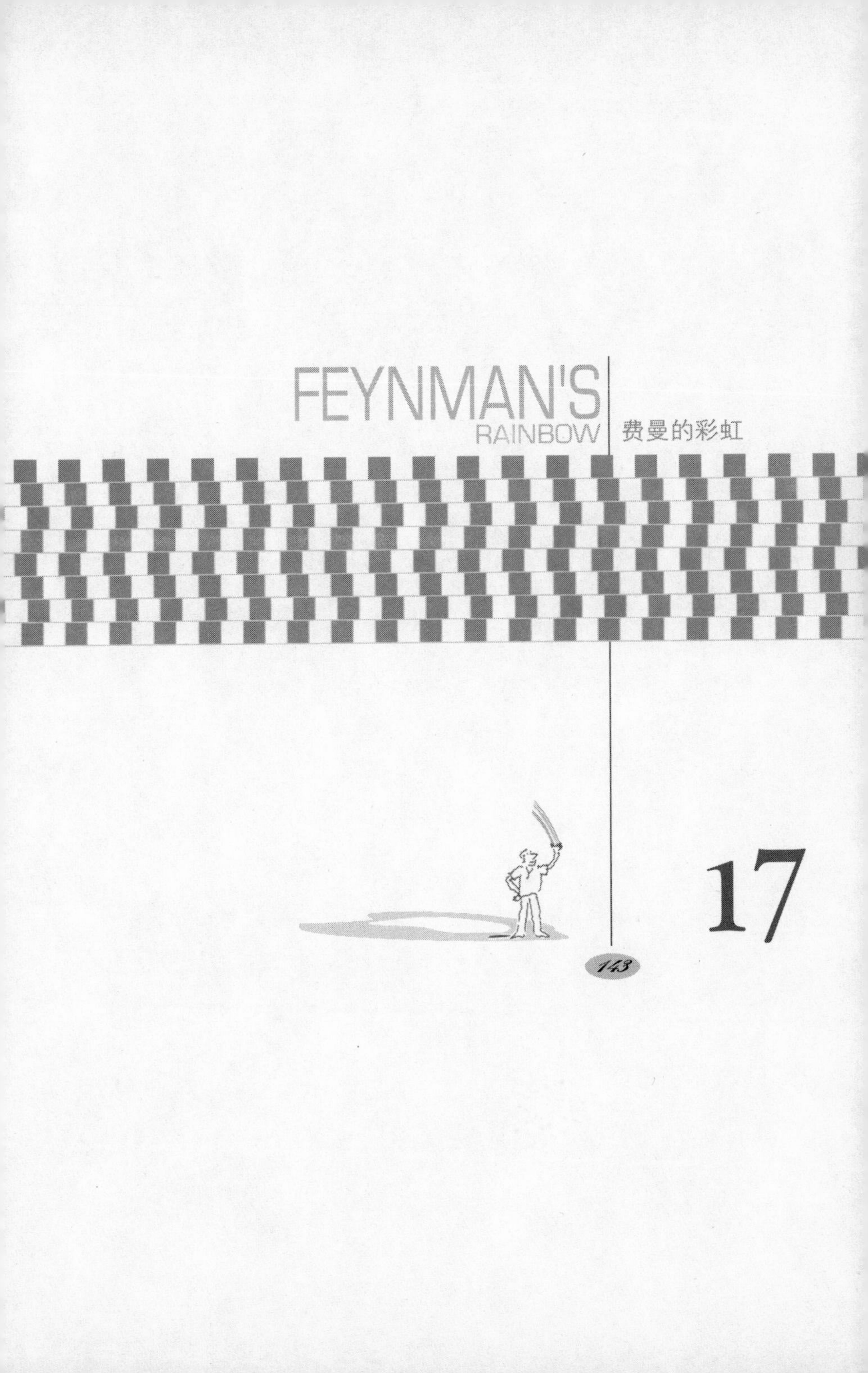

FEYNMAN'S RAINBOW 费曼的彩虹

17

SEVENTEEN | FEYNMAN'S RAINBOW

我站在厨房里啜饮浓郁香甜的蒸馏咖啡，一点也不知道这将是我一生中最糟的一天。

我起得很早，因为我从大学时代就认识的一位教授要来城里。以前他一直是我的良师，但我们已经有多年没见过面。我们约好在学术俱乐部见面，一起吃顿早餐，或者该说是他的午餐。然后他得飞回波士顿，我则得赶去看医生。

在那时候，对我来说所谓的“早起”是指十点左右。这让我听起来像个懒人，但自从大学时代起，我就养成工作到三更半夜的习惯。这是物理学家的传统，而且这传统至少可以追溯至十七世纪的笛卡儿。他从没在中午以前起床过。他必定是这传统的创始人，由于人们不了解情况，所以他就赢得了懒人的名声。但他还是设法创造了物理学、数学和哲学上的革命。对一个懒人来说，这成绩还真不错。

在念研究所时，我总会把研究浪漫化。我睡得晚、工作得晚，参加派对也玩得很凶。我心想，我或许无法在三个领域造成大革命，但至少在这些方面，我可以像年轻的笛卡儿那样。基于时间限制，再加上我几乎把所有的思维与精力都投注在研究上，所以我跟外界没有多少接触。即使是派对，也大多是跟其他的学生在一起。但无论是和当代的同侪来往、或和古代的同好神交，我都觉得很满足。对我来说，不同时代的物理学家，例如爱因斯坦和牛顿（当然也包括笛卡儿），都跟我属于同一社群，就像住在别处的物理界朋友一样。我们都是一个崇高团体的成员，每个人都对理论物理学的殿堂有奠基的贡献。

在成为加州理工的教员后，不知为何，事情变得不太一样：我的热情不再。我发现自己在研究弦论时，眼光经常飘向时钟，只要有机会就找借口分心。我跟同侪没多少来往，倒是晚班的大楼管理员对我特别亲切，不过我熬夜不是在讨论物理学，反倒学了不少有关墨西哥职业足球的知识。

我前一天之所以熬夜是因为我的旧瘾复发：写作。那还是从我们在深夜搞的《巴斯克维尔的猎犬》放映派对萌生出来的想法。那一晚我和邻居在看电影时，跟往常一样喊一些改编的有趣对话，这时我突然想到，这部片实在太适合拿来消遣，于是我开始参照《空前绝后满天飞》[①]（Airplane）的台词，写这部电影的搞笑版剧本。《空前绝后满天飞》在一年或更早前推出后，我至少看了五遍。

虽然自从九岁起，我就断断续续地写了些短篇故事，但我总觉得不好意思跟加州理工的人提及我在写电影剧本的事。物理学家，特别是理论物理学家，通常是像传教士般的人物，或者说非常恃才

---

① 1980年上映，被美国影片公司誉为“史上十大诙谐逗趣影片之一”。讲述一位杰出的飞行员，因机长食物中毒致死而被迫去接管控制飞机航行，之后和他的女友——机上的女向导及副手如何在高空中愉快地闪躲飞机、应对机上的宗教狂热分子的故事。——编注

傲物。写文学作品或许还可勉强接受，但是写电影剧本绝对会被认为连智识修养最差的一类都不如。我应该对物理学着迷，而不是福尔摩斯。

我在十一点半抵达学术俱乐部，要跟我的教授朋友碰面时，心里还在想着这件事。在大学时代，我们向来亲近，我在想是不是要问他对我的研究困境和新兴趣有什么意见。我不确定他会有什么反应。当他抵达时，我想到的第一件事情是，他看起来跟我离开大学时一模一样：身体发福，满头灰发，再加上一大把胡子，像个叔叔。我甚至觉得自己对他那件运动夹克还有印象。唯一不同的地方在于他胡子上多了一块面包屑，那应该是那天早餐后留下的，而不是来自我的大学时代。但我发现这块面包屑令人感到特别亲切。

侍者送来面包和黄油，那是位穿着正式的半工半读的学生。我们各自从精致的高脚杯啜了些饮料，然后开始浏览菜单。我没有问他目前在研究什么，他在二十年前做过一些很棒的研究，但我记得我认识他的时候，他好像没发表过多少论文。我告诉他，我在研究弦论。弦论从七十年代初刚开始发展时，他就知道这个理论，但他很惊讶听到还有人在研究它。我在心中把他归类于大而化之的那一群，而不是相对的怀疑论者。

“你在规划职业生涯时要小心，”他说，“跨的领域不要太大，否则会不好找下一份工作。如果想树立名声，你的研究要有一定的连贯性。”

“有时我觉得我永远都不会再写论文了。”

“这需要时间，不要慌。”

“我没有慌，反倒比较像……沮丧。”

“我们都走过这一段，这是整个过程的一部分。”

“也许我不适合这一行。”我说。

“听着，我对你有信心。你要坚持下去。”

“谢谢。”

他轻笑起来。“不过，如果不干这一行，你会做什么？”

“我没认真想过。”

“你当然不用。”从他说这话的方式，我不知道他是觉得我没有能力做研究物理学以外的事，还是单纯地认为除了物理学以外，其他的事物都不存在。

“对了，我在写东西。”我终于说出口。

“写东西？”他似乎有点困惑，仿佛他唯一想得到的与“写”有关的就是练习书法。“你在写什么？”他问。

“电影剧本。”

“什么？电影剧本？”

他说这话的口气有点怪，好像他是我父亲，而且说的是：你是说最近你动的这个手术……是变性手术？

“你究竟为什么做这种事？”他突然激动起来。

“我不知道。大概是因为喜欢吧。”

我低头看菜单，开始不自在。

我说，“这里的奶油浓汤真的很不错。”

这个场景显得很不真实，而笨拙地改变话题也无法使我脱困，但是身为乐观主义者，我还是勇敢尝试了。

“我们真的该点餐了，我待会还得赶去看医生。”

“听着，”他说，“这是你欠你自己、我和许多人的，你必须继续研究物理。我们花了无数时间训练你，而且是好几年的时间！你不能就这样丢了它，包括你的才华，你的学业，这是一种侮辱，一种不敬！而这全是为了什么？小说？那些没有价值的好莱坞垃圾？”他的脸变得通红，胡子上的早餐屑也掉了下来。

我被他的愤怒吓了一跳。一方面，我并不是说我想放弃物理学；另一方面，我很想说：你竟敢告诉我，我要怎么过日子？但他的话唤起了我的羞愧心。我怎么在写这种没用的好莱坞垃圾？我试着让步。

“我并没说我要到电影业找工作。”

“那你写剧本是为了什么？”

“只是兴趣而已。”

那位学生侍者经过。

“你要记得自己的责任。你很有才华，要好好把握你的人生。”

那位侍者朝我会心一笑，他八成以为我们是父子。

我点了奶油浓汤和煎蛋卷。教授也点了煎蛋卷，但没点奶油浓汤。显然他对堕落知识分子的用餐建议不感兴趣。午餐进行到一半时，他的胡子上又沾到一块新鲜的面包屑。我们开始聊一些普通的话题。等我去看医生的时间终于到了时，我松了一口气，但事后证明我这口气松得还太早。

如果我的眼界更广的话，我应该会觉得“面包屑教授”那通教训的话很有趣。他困在狭窄的领域，无法欣赏别人的创造力。但是当时我没有这个眼界，而他的教训真的让我很焦躁。最后，我终于找费曼谈了这件事。虽然他对现代文学多少有些轻视，但他尊敬作家，他似乎尊敬所有需要想像力的工作，那是他最推崇的特质。

有一阵子，我也想过要写小说。你知道，我经常讲学，也就是说，在我讲话时，它们会被记录下来，但那是取巧的写作。所以有一次在英文系的派对上，我故意打趣地问他们，我要怎么开始写作，结果那位我非常敬重的教授说，"你要做的就是写。"

我拿起格林童话，觉得它们应该不会太难写……毕竟怎么写都行，因为里面有天使、巨人之类的东西，还有各种魔法，所以要怎么编都行。于是我说，"我要写一个这种故事。"

结果我写不出任何故事，只能把看过的内容组合起来。只可惜当我重新组合时，我的情节几乎大同小异，没有任何巧妙、特别或惊人之处，但我看的下一个故事总是会有令人惊奇、跟其他故事不同的地方。它里头也有巨人，但情节本身和意外的转折都非常不同……于是我说："这里再也没有发挥的机会。"然后我又看了一个故事，却发现它也截然不同。所以我觉得自己没有编新故事的想像力。

这并不代表我的想像力不好。事实上，我觉得科学家做的事比虚构故事难得多，科学家是思考或想像已经存在的事物，写故事却是构思不存在的事物。科学家在了解事物在小规模和大规模的层次如何运作时，经常会发现结果跟原先的预期极为不同，这需要很丰富的想像力才办得到！我们要有丰富的想像力才能想像出原子、它们的存在及可能的运作方式，或是制作元素周期表。

但科学家的想像力总是跟作家不同，差别就在于是否受到检验。科学家想像某件事，然后神说"不对"或"目前为止还不错"。当然，这里的神就是实验，这位神也可能说，"不对，不一致。"有时你说，"我想像它是这样运作的，如果是的话，你们应该来看看。"

然后其他人来看，但他们看不出来，糟糕，你猜错了。但是在写作中，没有这种检验存在。

作家或艺术家可以想像事物，当然也会对它的艺术感和美感感到不满，但这种不满的尖锐和绝对程度，跟科学家所面对的不同。对科学家而言，“实验之神”总是存在，而且它可能会说，“老兄，这很不错，但不是事实。”这两者之间有很大的差别。

假设现在有一个伟大的“美学之神”。只要你作画，无论你喜不喜欢它，无论它是否令你满意，即使它只是有时让你不满意，你都得把它交给“美学之神”，然后这位神会说，“这不错”或“很糟”。过了一阵子，你的问题会变成如何发掘出与这个作品相匹配的美感，而不只是你个人对它的感觉。这跟我们的科学创造力比较类似。

此外，写作也跟数学或科学不同，它不是一个知识体。知识体会不断扩大，聚集一切，就像一个由人类共同建造的庞然巨物，这其中会存在不断的进步。但你能说“我们每天都会变成更好的作家，因为我们已经看过以前的作品”吗？你能说我们写得更好，是因为先前其他人已经教我们怎么做，所以现在我们才能继续发展吗？但这却是科学与数学的方式。比方说，我看过《包法利夫人》，一本很棒的书。当然，它没描述别的，就只描述平凡人。我对历史不是很有把握，但我想《包法利夫人》应该是最先开始描写平凡人的小说。如果其他人的小说也跟它一样，我一定会很高兴。但现代小说的撰写手法不再那么娴熟、细腻。我看过少数几本，觉得它们令人无法忍受。

FEYNMAN'S RAINBOW 费曼的彩虹

18

EIGHTEEN FEYNMAN'S RAINBOW

我的医生在城里一家小诊所看诊。诊所没多远，所以和“面包屑教授”一起吃过午饭后，我直接走路过去。那一天，天气很好，阳光普照。诊所里消过毒，但也不是很干净。虽然我事先有约，仍等了四十分钟。我利用等候的时间构思电影剧本，就跟我以前思考物理学的构想一样，所以我不介意等候。

这位医生年纪较长，有点超重，脸圆圆的，很亲切，很像那种笑脸模型，因此更加让别人注意到他几乎全秃的头。让这位医生看，我觉得挺自在的，毕竟他要触诊我的睾丸。对于能碰它们的人，我可是很挑剔的，尤其是当对象是男性的时候。

“它们像这样已经多久了？”他问道。

起初我以为他在开玩笑。

“像怎样？”我问。

“这些肿块？”他说。

肿块？我开始困惑。他在说什么？

“这里。”他边说边指给我看。

他说，从医学角度来看，它们在这阶段只是可疑的肿块，但从我睾丸上的肿块看来，它们几乎可以确定是癌症。

以我的年龄来说，这算是很罕见的。我两边的睾丸各有一个肿块，他说这实在很罕见，可能是值得发表的个案。我觉得他的声音里似乎有一丝兴奋，毕竟他以前曾在一个声誉卓著的专业协会担任过会长之职。但我实在太过震惊，所以也不觉得他的话冒犯了我。我唯一想到的是，不可能有这种事。

他告诉我下一步是验血，看某种荷尔蒙的含量有没有增加。他说，我们应该和外科医生预约。我觉得自己血色尽失，跌坐到椅子上。这时他终于发现我是一个人，不是实验室里一无所知的可怜小狗。他略微开朗地说（我猜他这么说大概是为了安慰我），如果癌细胞没有扩散，在他们割除我的睾丸以后，荷尔蒙药丸和人工修复术可以让我过几近正常的生活。我心想，不知这位“笑脸先生”所谓的“几近正常”是什么意思。对我来说，如果忘了服药，声音就会提高八度，可以说一点也不正常。还有，我要怎么跟女朋友解释那些假睾丸是没有功能的？我心想，不可能，我的生活永远不可能“几近正常”。

就这样，我的生活在一瞬间变色。我外婆在四十岁时就死于癌症，她的肿瘤长在膀胱和肾脏之间。她相当富有，但在二十世纪三十年代的波兰，医学能做的也不多，那显然是慢性死亡，而且极度痛苦。当时有吗啡，但没有用。我母亲经常含着眼泪说，她每晚都听到她母亲痛苦地尖叫。她还告诉我有一天晚上她到朋友家过夜，当她回家时，父亲痛骂她前一晚抛下濒死的母亲、忘了家人的痛苦。从那以后，她再也没有跟朋友出去过。后来，外婆过世。几年后，希特勒毁了她的家庭和朋友，而他们也不必在各种忧虑之间求取平衡。至今，我母亲仍无法忘怀家人的痛苦，我也一样。即使到了二十多岁，癌症仍是最大的恐惧。

那一年似乎是加州理工的癌症年。在面对逼近的死亡时，费曼采取了所有谨慎的抗癌措施，同时冷静地接受这件事。莫雷则为了救他罹患癌症的太太，几近疯狂地对抗它，他的惊慌和悲伤清晰可见。我会怎么面对它呢？我还可以活多久？我想到自己常替费曼感到遗憾，但现在看来，其实我才是那个可怜的笨蛋。

在得知这个消息后，我先是恍惚地四处乱晃。如果先前我无法专注于物理学，现在我几乎无法把心思放在任何事情上。我连简单的交谈都办不到。但我仍跟平常一样敷衍搪塞，而且跟谁都没说。康斯坦丁把我带到一边，问我是不是在吸毒。我猜雷大概也是这么想的。一人独处时，我替自己感到悲哀。我经常哭，有时甚至一连数小时。几天后，等我的大脑再度开始运作后，我几乎无时无刻不想着死亡，心中老有一种沉重的感觉。死亡已经成为我的生活重心。

我望着校园里的橄榄树，看着美丽弯曲的树形和赏心悦目的灰色；地景、天空，我公寓里灰白色的墙面和乳白色天花板相接的美丽线条，这一切突然显得珍贵无比。我想到望着彩虹的费曼，那就是现在的我，绝望地想体会生活的点点滴滴，即使是曾令我恼怒的经验。

几天后，医生打电话来。验血呈阴性反应，荷尔蒙含量也没有增加。安心、狂喜接踵而来，但随即又倏然幻灭。

“检验经常会呈阴性反应，”他说，“其实它没有多大意义。”

我再度不知所措，相当困惑，不知道这到底是怎么回事。

“如果没有多大意义，为什么还要检验？”我说。

“它是确认诊断最简单的方法。但还有其他方法，这些其实都是形式上的手续。”

“你会做切片检查吗?”

“不会，我们通常割掉整个睾丸。”

“但是有两个睾丸。”

“恐怕我得说，这么大的肿块向来是恶性的。”他说。我看恐怕我比他更害怕这一诊断。“等你过来，我们再谈吧。”然后他挂上电话。上帝抛弃了我。

我觉得非常茫然，我是怎么陷入这种情况的?我拥有物理博士学位，根据我读过的一份研究，这代表平均而言，我大约比“笑脸医生”聪明25%。但他是专家，而我只能乞求他百忙之中抽出时间跟我解释。我决定开车到南加大的医学院，自我学习，从书上查有关肿块和睾丸的一切。一路上，我幻想自己找到一大堆良性的解释，例如它可能是囊肿或睾丸的拇囊肿①（bunion)。

不幸的是，睾丸似乎不会有这种情况。那些书上的解释似乎都支持这位医生的说法。

回家后，我坐在豆袋椅上。户外，白天的暑气逐渐消退，西斜的阳光变得诱人，不再热得令人发昏。门外中庭的水池旁空无一人，只有邻居的猫蹲在池边的水泥地上。我最近刚学会珍视生命与自然，于是就望着那只猫，心想，它那种蹲伏和突然扑击的动作真可爱，就像在练习失去已久的远古猎术。

然后我发现原来它不是独自练习，它正在玩弄自己捉到的小老鼠。它会蹲伏着不动，等到那只老鼠尝试逃跑时，才扑过去捉住它。

---

① 拇趾基节处与鞋帮摩擦部位出现的囊状膨出。——编注

一会后，它才放开老鼠，然后重复相同的游戏。这时我发现大自然的美丽温和再也无法带给我平静，反而让我沮丧地想起，不幸就是会发生，也让我想到费曼和他动的无数癌症手术。但若上帝在玩弄费曼，至少他似乎很享受仅余的岁月。但我想那只可怜的老鼠大概没这么好运。或者，我也一样。

雷走过来。

"'里昂纳德山'好像乌云罩顶。"他说。

我还是没有告诉他肿块的事，但"乌云"是藏不住了。于是我耸耸肩，他露出微笑。

"别担心，"他说，"雷博士带了药来。这虽然不是医生处方，但一定有效。"

"去他的医学，"我说，"不过我抽得太多了。"我突然思忖到，抽大麻跟肿块有没有关系。

"我要点烟。"他说，没理我的反应。

我站起来找火柴，他拿起一篇有关弦论的论文，一目十行地匆匆浏览着。它跟大多数的物理研究论文一样，里面全是方程式。

"这是理论物理，但看起来好像只是数学。"他说。

"这叫做有目的的数学。"我说。

"我厌恶数学，这都是因为我爸，"他说，"他是工程师，出身贫民区，也就是西班牙哈林区。该死的是，他一直想让我也成为工程师。对他来说那是生存问题，不学数学，就等着领救济金吧。所以他会考我算术，每次只要我答错，砰！他就会打我，而且总是很用力，真的很痛。在我父亲面前连犹豫都不行，根本别想。九乘以八是多少？砰！六乘以十二是多少？砰！这就是我恨数学、但也很擅长它的原因。”

他点燃烟斗，然后让我吸。我想吸得要命。

“不用了，谢谢。”我一说出口就后悔了。

“我爸应该强迫我吸麻药，而不是强迫我做数学。这样我长大后会讨厌麻药，爱上数学。也许我会成为物理学家，跟你一样。不过我现在也不错，跟著名的科学家相处，每天睡到中午。管他的，反正我喜欢清垃圾。我每天很早下班，可以到外面走走。”他又扫视了一遍那篇论文，“我打赌你得很专心才能研究这类东西。”

“是啊。”我说。我觉得我了解他的感受。我就像他和他父亲的综合体，我强迫自己学习不想学的东西，然后在自己找答案的速度不够快时痛打自己。

他又把烟斗递给我，这次我接受了。

FEYNMAN'S
RAINBOW
费曼的彩虹
19

NINETEEN | FEYNMAN'S RAINBOW

我走向费曼的办公室，牛仔裤的膝盖部位裂了一条缝，法兰绒衬衫已经穿了三天。但我根本没注意，我的全副心思都在想费曼和我终于有共通点了：逼近的死亡。也许我们俩可以组一个双人支援团体。

我注意到海伦正站在她的门口，和一位学生聊天。

“哈啰。”我走近时，她跟我打招呼。

“嗨。”我回应道，然后停在信箱那里，假装整理我信箱里两封无聊的垃圾邮件。我设法在那里逗留，不想让海伦用嘘声把我赶离费曼的门口。终于，她的电话响起，她匆匆走进办公室。我快速经过，然后敲费曼的门。没人回答，我又敲了一次。

“什么事?”里面传来模糊的声音。

我打开门，走进去。他坐在躺椅上，看着手上的一叠论文。然后他抬头看到我。

“我正在忙，不能跟你聊。”他说。我还没来得及反应，他又说了一句，“走开。”

“我有一个物理问题。”我说。

当然，这根本不是真的。但如果我说我来是为了私人理由，我可能永远别想能多待会儿。我当然也不会脱口说出真相，我来找你聊天，因为我们俩都快因为癌症而死了。

他踌躇了一下后说，“现在不行。”

他的语气变得温和了些，看来他认为我来找他是要谈真正的物理问题。

“好，那什么时候比较合适？”

“我不知道，下礼拜看看。”

不能下礼拜，我说不定下礼拜就死了。

我说好，然后往后退，“反正你帮得上忙的机会也不大。那是个有关量子光学的问题，我想你已经有很多年没想过这方面的问题了。”

我研究所的好友马克·希乐利（Mark Hillery）在新墨西哥找到一个研究量子光学的职位。在我研究弦论的期间，我们断断续续地通过电话聊过几次他和我的研究，不过大多是在管理员太忙、无法和我闲扯的夜晚。如同写作，我也没有跟同事提过我涉足量子光学的事。那会被视为低层次的领域，因为应用性太强了。但费曼喜欢物理学的所有领域，而且他总是很喜欢挑战。

我开始关门，但动作很慢。

就在我快要关上门时，他说，“等一下。”

他的好奇心被我勾起来了，最重要的是，他想向我证明，物理世界里没有他不能提供精辟见解的问题。

“你的问题是什么？”他问道。

我的策略奏效了。现在我得想一个问题，这并不难。

量子光学上的重大问题之一，是描述激光束穿透晶体等材料时会有什么行为。由于材料介质的存在，它们的行为跟穿透真空时相当不同。马克和我已经发现，我们可以用我博士论文中的方法（藉由无限维的近似法），建立特定晶体内个别原子的模型，在一些假定和大量数学之上，发展出雷射光和晶体如何互动的理论。

目前已经有一个描述这些交互作用的理论，但它跟我们的方法相比，差异在于不是得自个别原子的理论。相反地，它是把原子晶格粗略估计为具有特定宏观性质的连续介质，这些性质均可由实验测出。如果这晶体是一杯水，则老方法会将杯里的水视为具有诸如密度、黏性、折射率（它如何弯曲光线的计量法）等特定宏观性质的液体，而忽略它是由称为水分子的细微物质所构成的实质。我们的方法是从水分子开始，然后得出其他的一切。由于我们并没有忽略“细节”，如果我们真能得出其他的一切，这显示我们的方法显然比老方法优越。但是我们的做法远比老方法来得复杂，因此为了执行它，我们必须创造自己的简化近似法。主要做法是采用我的无限维方法。既然老方法和我们的方法都涉及近似法，从这个角度来说，二者都没高明到哪处。然而，我们还是认为以我们的方法重新修改理论，或许可以导出一些物理学上的新见解。如同费曼的液态氦研究，这个理论将是为特定情况、而不是为量子色动力学或弦论等基本理论所创造的模型。它似乎很有趣，所以我们就研究它。

马克把我们的理论和先前的理论互相比较，有一晚他打电话来说它们不一致。我查阅十五年前提出那个理论的论文，结果我发现他说的一点不错，两者的结果虽然相似，但有一大冲突。显然，这两个理论中有一个是错的，而我们认为可能是我们的。我们不是在哪里犯了一个数学错误，就是做了不合理的假定。我认为和费曼讨论的话，这会是个不错的话题。

费曼非常明白我们那个理论背后的构想，然后，他开始向我证明在物理世界的确没有任何他无法提供精辟见解的问题。事实上，在接下来的半小时里，他所提供的看法比我两个月内所想到的还多。他轻轻松松就超越了我，我原本应该感到沮丧，但我却觉得很兴奋，因为他喜欢我们的构想。

然后我告诉他，我们的理论跟另一个理论有冲突。

“你了解他们的理论吗?”他说。

“我看过那篇论文，能看懂大多数的内容。”

“看得懂?你看得懂，并不代表它就是正确的。当你自己也可以导出同样的结论时，你才真的了解它，然后或许你会相信它。”过了一会，他补充说，“当然，你可能会发现它是瞎扯，事实上我怀疑它就是胡扯，因为在我看来，你们做的每一件事都很对。”

“但那理论已经存在十五年了。”我说。

“好，”他说，“所以它不只瞎扯，还瞎扯了很久。”

我笑出声。

后来我们一直没机会谈同样逼近我们的死亡，但它默默支持着我们。因为在我们交谈的短暂时光中，我不像平常一样老担心着自己的癌症。当我们在谈量子光学时，世界变得奇妙而刺激。我觉得费曼也有相同的感觉。

FEYNMAN'S
RAINBOW
费曼的彩虹
20
167

TWENTY FEYNMAN'S RAINBOW

又到了看笑脸医生的时候。我走向诊所时胃再度开始紧绷，等我走到那里，我的脸色一定苍白得吓人，因为这次他们并没让我等，而且立即带我到诊察室，还说如果我喜欢的话可以躺下来休息。我心想，是啊，现在他们对我很好，因为他们替我感到难过。

躺在像纸那么薄的床垫上，我开始想像未来我可能要面对的那些可怕程序。手术原本就可怕得令人不敢想像，接着还有永无止境的试验、注射、X光、也许还要照放射线或做化疗，这代表我的身体会进一步受损。可怕的恶心感，头发、甚至眉毛和睫毛都会掉光。

过了几分钟，医生打开门。我坐直身体，突然觉得体内的肾上腺素激增。他似乎有点惊讶只有我一个人，接着他准备退出去。

“医生?”我叫住他。

“我已经要求做专家会诊，”他说，“他们都是我们这里最好的专家，他们很快就会过来。”

然后他走出去。他听起来有点冷酷。我好奇地想，不明白这代表什么意思。我的命运到底会怎样？我觉得惊慌，不知道究竟怎样才是最糟糕的事。我重新躺好。

等他回来时，他还带了别的人来，而且不止一位，而是两位专家，我猜大概是来见证他对我这个病的兴奋感的。他向他们介绍我的病情。接着，他们三人就严肃地站在那里，讨论起我的睾丸。他们跟物理学家不同，都穿着白外套。不知为何，这让整件事变得更可怕。仿佛他们穿上白外套，是为了避免碰到我遭摧残的身体。

有位专家向另一位低声说了些话，他们双双点头。

第二位专家离开了，第一位则看向我。

“你是有肿块，”他对我说，“但它们不是癌症，甚至连肿瘤都不是。你很健康。”

我望着他，心头的重担解除，整个身体放松下来，彷佛注射了什么灵丹妙药。泪水在我的眼眶打转，然后顺着脸颊留下来。我看着笑脸医生，心里突然开始想，早先你说这些肿块是恶性的，为什么他们会认为这些肿块没关系？他们的指头能照X光吗？你们是行哪种医？少数服从多数吗？笑脸医生看出我满脸的疑问。

“两边的肿块是相同的。”他解释道。

“它们就像镜子里的影像，”那位专家说，“肿瘤不会长成这样。所以你一定从出生起就有这些肿块。你很健康，难道以前没有医生发现这件事？”没有，我的睾丸先前一直是处女地。

笑脸医生道歉，至少对他们来说，事情已经结束。但是对我来说，事隔多年后，我还是很难相信笑脸医生弄错了。每次看到报上有关睾丸癌的文章，我都会觉得胃不太舒服，脑袋里血液流失，而我得坐下才不致昏倒。每次我去看跟这无关的病，并且要求医生顺便检查我的睾丸时，他们总会奇怪地看着我。

现在我终于克服了这一点。我猜如果当时我真的得了睾丸癌，现在可能早已作古。我生殖器的问题是天生的。“对称”拯救了我。

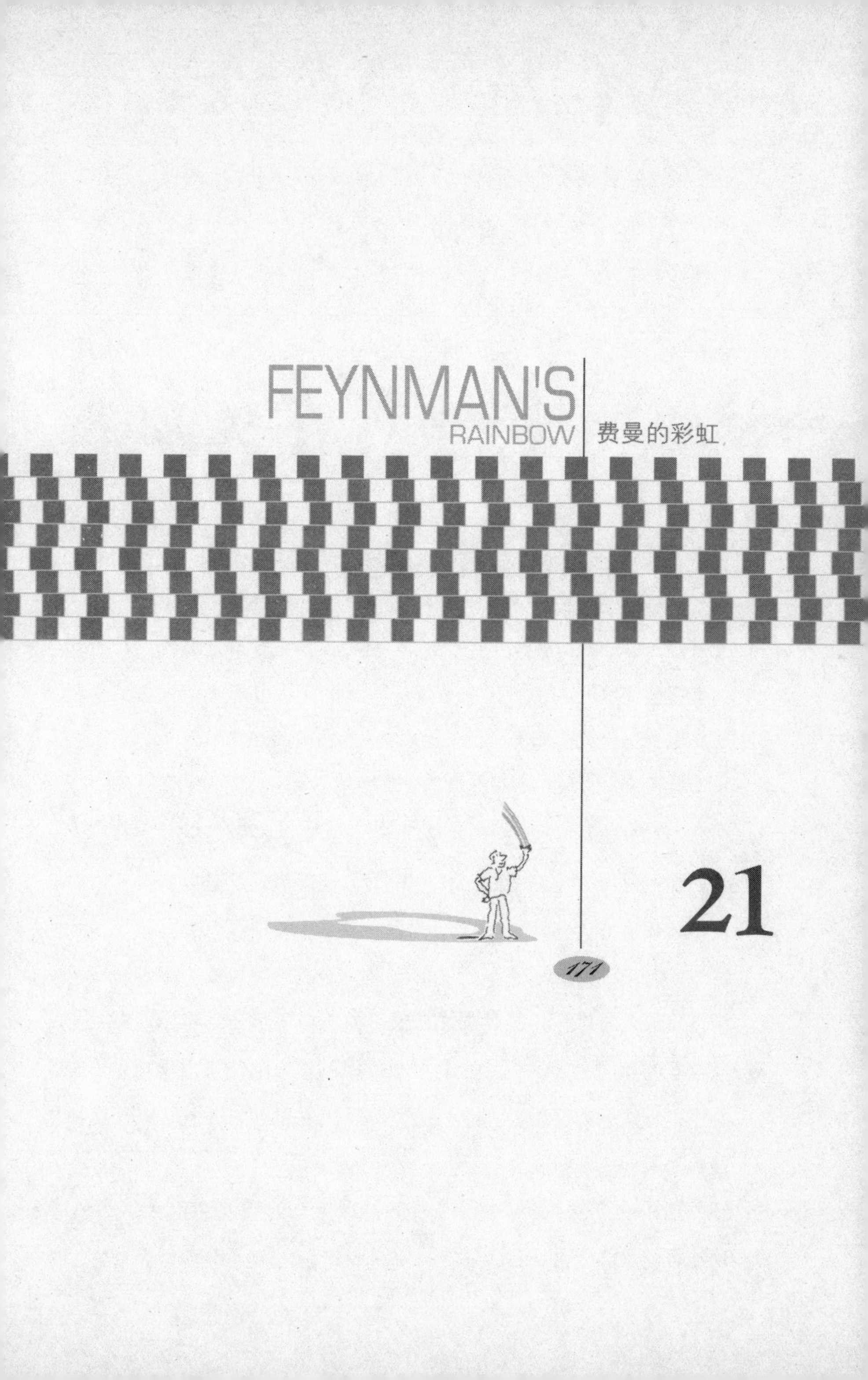

FEYNMAN'S RAINBOW 费曼的彩虹

21

TWENTY ONE FEYNMAN'S RAINBOW

我在开车回公寓的路上，有两次差点因兴奋过度而导致严重的车祸。我心想，如果在得知我并不会病死后却出车祸死了，会有多讽刺。此外，人不用得癌症也会死。只要一时的不慎，死亡就会来临。你上了车，你的病已到了晚期，但却毫不知情，直到你猛踩煞车的最后一刻。

我努力平抑情绪，但在看过医生后，我觉得自己实在很兴奋。我们的身体八成会释出某种狂喜荷尔蒙。如果你可以把它包装起来，一定可以致富，但它可能会被列为非法品。它肯定也让我很难专心开车，而且对我的心理也有影响，因为现在我的痛苦已经结束，找人倾诉的需求应该已经降低，但我突然觉得很想告诉别人自己经历的一切。

我最先找的人是雷。他扔了一天的垃圾后刚洗完澡，当时正在水池旁蹓跶。他在听我说时，脸上闪过一系列的表情，仿佛在片刻之内，他就已经经历悲伤的所有阶段，从震惊、否认、愤怒、绝望到接受，然后是安心。他用力地抱住我。靠着他时，我可以感到他下巴上的短胡须，像细磨砂纸一样擦着我的脸颊。我闻到一股爽身粉的味道和一丝残留的垃圾酸味儿。他放开我后，只说了一句，“我很高兴你没事了。”

我们决定我应该放几天假，雷也是，至少也要放一天。我们俩开派对直到深夜。第二天早上，他打电话请病假（为我喜极而病），然后我们继续欢闹。我们享受自己喜欢的一切，像在庆祝生命，我们早餐吃披萨，中午吃汉堡，晚上吃披萨和汉堡，中间还会抽很多大麻，喝很多啤酒，有时也会来根雪茄。

那天傍晚，雷也宣布了一个惊人的消息：他要离开了，跟他那位替微软工作的新情人搬到贝勒维尔。她说他可以跟她住一阵子，直到他找到工作，所以他正在考虑放弃现在的清洁夫工作，学学电脑编程什么的。他终于要开始运用他的数学天分，我猜他终于决定了不再惩罚他自己和他父亲。

说也奇怪，我兴奋沸腾的情绪居然立刻冷却下来。我已经很寂寞了，想到在城里跟我最亲近的朋友要离开，我更加感到一阵晕眩。我本该替他感到高兴，可又觉得自己像是遭了一记重击。

到了第二天早上，我们这场马拉松式的派对让雷和我都开始不舒服起来。雷再度打电话请病假，这次可是有正当理由的。我整天躺在床上，靠吃阿斯匹林和喝茶度日，同时思考一个问题：在能继续活下去后，我究竟要过什么样的生活？

外面的天气热得令人发昏，就像广播里说的，“反季节温暖”。或许吧，但这也提醒我夏天快到了，本学年即将结束。我想想自己已经完成和还没做的事，发现我几乎没完成多少事。没有伟大的发现，甚至没有可发表的作品，除非马克和我能想出我们的光学理论。但我还活着。我回想起和费曼的谈话。对我来说，生活和事业向来显得非常复杂，但在他口中，它们却很简单。他曾说，如果连大猩猩都做得到，我当然也可以。但我不是大猩猩，我担心最后的结局。我猜大猩猩也许不会担心。是不是随着年龄增长，我们就会慢慢意识到其实事情没有我们最初想的那么复杂或重要？

我回到加州理工时，发现错过了跟康斯坦丁有关的大新闻。后来我们没有再谈过合作的可能性。现在他的博士后职位即将结束，而他也在雅典找到新工作，秋天就要上任。这些都是新闻，但不是大新闻。

康斯坦丁的名声来自于根据量子色动力学理论，通过电脑计算质子的质量。但现在大家都在传，他把问题输入电脑的时候，采取的方式并不诚实。没有任何一种方法，可以把从数学理论的实际连续的空间得出的方程式，转译为电脑能够处理的有限格点，所以晶格理论是技术，也是科学。你努力遵循那些可靠性和准确性最高的原则。运用晶格理论比纯粹的数学工作难验证，因为你虽然可以追踪这个问题的设立方式，但在心智上无法经历电脑在执行计算时的所有步骤。根据一些蜚短流长，康斯坦丁是反过来做，他知道质子的质量是多少，所以在设定他要做的计算时通过操弄参数来得到正确的答案。或许这只是细微的差异，但绝对有必要公开。

康斯坦丁并没否认，而且假装不在意这些纷扰。他只是挥挥手臂，以他在讨论希腊或美国政治时那种无事不晓的自信，不把这件事放在心上。“这有什么大不了，”他说，“我只是用我知道的来调整我的电脑模式。每一个人都这么做。”但他的烟抽个不停，看起来可是一点也不轻松。

我替他感到难过，但也有点生气。他是我的好朋友，我信任他。我仍然觉得基本上他是个值得信赖的人，但以后我很难像从前那么尊敬他。我没有告诉他我对癌症的恐惧。

但我想告诉费曼。

我用查看信箱那一招，确定海伦没看到我后，快速敲了下费曼的门就冲了进去。他正躺在长椅上休息，没在工作，而且似乎不介意被人打扰。

为了打破沉默，我提到康斯坦丁的争议，他只是耸耸肩。

“我还没看他的论文，对这件事的了解不够多。你要我说什么?”

“我以为你会说‘卑鄙的家伙!’之类的。他这么做是因为他认为重要的是成功，而不是发现。”

“见鬼了，我才不要替这人做心理分析。但是除了你朋友的研究有没有作假以外，你应该也要操心很多人读过它、却无法分辨吧。这世上实在有太多人都没有保持怀疑的态度，或是不了解自己在做什么。他们只是跟着做。这就是我们的现况，追随者太多，领导者太少。”

我坐下来，不想再谈康斯坦丁的事。我想谈谈自己，于是我向费曼描述了我那场癌症经历。

他摇摇头。“至少你这个傻物理学家只伤了自己，没伤害别人。”他说，“知道吗，有很多医生告诉我，他们没法替我动手术，但后来我找到一位敢替我动手术的医生。那场手术非常长，也很彻底。当然，他仍然有可能漏掉。你事前永远无法知道，只能等着瞧。”

他闭上眼睛。

我仔细端详他。今天他看起来很衰弱，脸庞苍白、瘦削，布满皱纹。我第一次没把他当做物理学家、传奇人物，或者跟我同一个走廊、有时是朋友的人；今天，他只是一位老人。

他睁开眼睛，我望着他。

“你在想我看起来不太好。”他说。

“不，你看起来很好。”我撒了谎。

“别骗人了，你知道吗?”

“什么?”

“你的气色也没好到哪里去。”

我露出微笑。“最近两周比较辛苦。”我决定不提那两天的狂欢。

他绽出一个淡淡的微笑，“说不定最后为了庆祝还差点累坏?”

我笑了，“是啊，有点儿。跟雷一起，你还记得他吗?”

费曼摇摇头，先前他还挺喜欢他的。不知怎么，我们开始聊起雷在他父亲的威吓下恨起数学的事。

“我儿子卡尔跟我，”他说，“我们很爱聊数学。”他开朗起来，仿佛刚有一股力量注入他体内。“而且他很棒。”

“我父亲从没跟我谈过数学，”我说。“他高中没念完，都是纳粹害的。但我向来爱做数学问题，喜欢努力思考。而且我很喜欢解开一个问题或创造一个新构想的感觉。”

“那么，这应该就是你一直在寻找的答案，对吧?”

“你是指?”

“我跟雷聊天时，他说他问你为什么喜欢物理学，但你没有回答。”

“是啊。”雷告诉他这件事，让我有点不好意思。

“其实你自己已经知道答案，你喜欢它，是因为你喜欢努力思考，喜欢创造，也喜欢解开问题。”

“我觉得这不是答案。”我说。

“你为什么说‘你’觉得这不是答案？那不是我的答案，那是你的答案。”他听起来有点不耐烦。你的理解不够快时，他就会这样。我努力想解释清楚。

“那的确是我说的，但那不是我喜欢物理学的原因，因为那不是针对物理学说的。”

“所以？”

“所以那适用于我许多的嗜好。”

“所以？”

这时海伦探头进来，“费曼教授，他是不是打扰你了？”她转头瞪了我一眼，继续跟费曼说：“我知道你手头有些工作要完成。”

“没关系，海伦，”他说，“他没有打扰我。”然后他转向我，“但快要开始打扰了。”

“那我进来得正是时候，”海伦说，“走吧，曼罗迪诺博士。我发现你在信箱旁晃了半天，还是忘了拿你的信。”她把它拿给我。我的诡计到此为止。

“海伦，再给一分钟好吗？”

她露出嘲笑的神情，但费曼没有反对，于是她走开了。我转身面向费曼。

“我想我懂你的意思了。”

“很好。”

“这学期快要结束了，所以……万一我在夏天前没再见到你……我只是想谢谢你……为你教我的一切。”

“我什么都没教你。”他说。

“你教我认识自己。”

“这是鬼话。我教了你什么?”

“我还在思考当中……但就像刚刚……你教给我看世界的方法，还有我的位置在哪里。”

“首先，就像‘刚刚’，我没教你那方法，教你的人是你自己。我没法教你，你在这个世界上的定位，必须靠你自己来发现。其次，我是个很差的老师，所以我很怀疑我能教你什么。”

“那就……谢谢你跟我聊天好了。无论你有没有教我什么，我都很高兴能跟你聊天。”

“听着，如果你坚持认为我教给你什么，我想我就得给你一次期末考。”

“真的?”

“只有一个问题。”

“好。”

“去看看原子的电子显微镜照片，不是只看着它，而是要非常仔细地检视它，这一点非常重要。想想它代表什么。”

“好。”

“然后再想想，它会不会让你的心砰砰跳?”

“它会不会让我的心砰砰跳?”

“会，还是不会。这是个是非题，没有牵涉到任何方程式。”

“好，我会把答案告诉你。”

“别傻了，我不需要知道，你才是需要知道的人。这个考试由你自己评分，而且重要的不是答案，而是你在知道这个答案后要怎么办。”

我们看着彼此。他年轻时的脸庞闪过我心头，就像那本《费曼物理学讲义》的封面照片，那位精力充沛、笑着打拉丁小鼓的年轻人。这时，一个问题冲口而出。

“你有没有什么遗憾?”我说。

费曼没有一口回绝地说那不关我的事。他沉默了一会儿。我心想，他会不会说研究量子色动力学的挫折。但接着，他的眼里满含泪水。

“当然有，”他说，“我很遗憾可能没有机会看着我女儿米歇儿长大。”

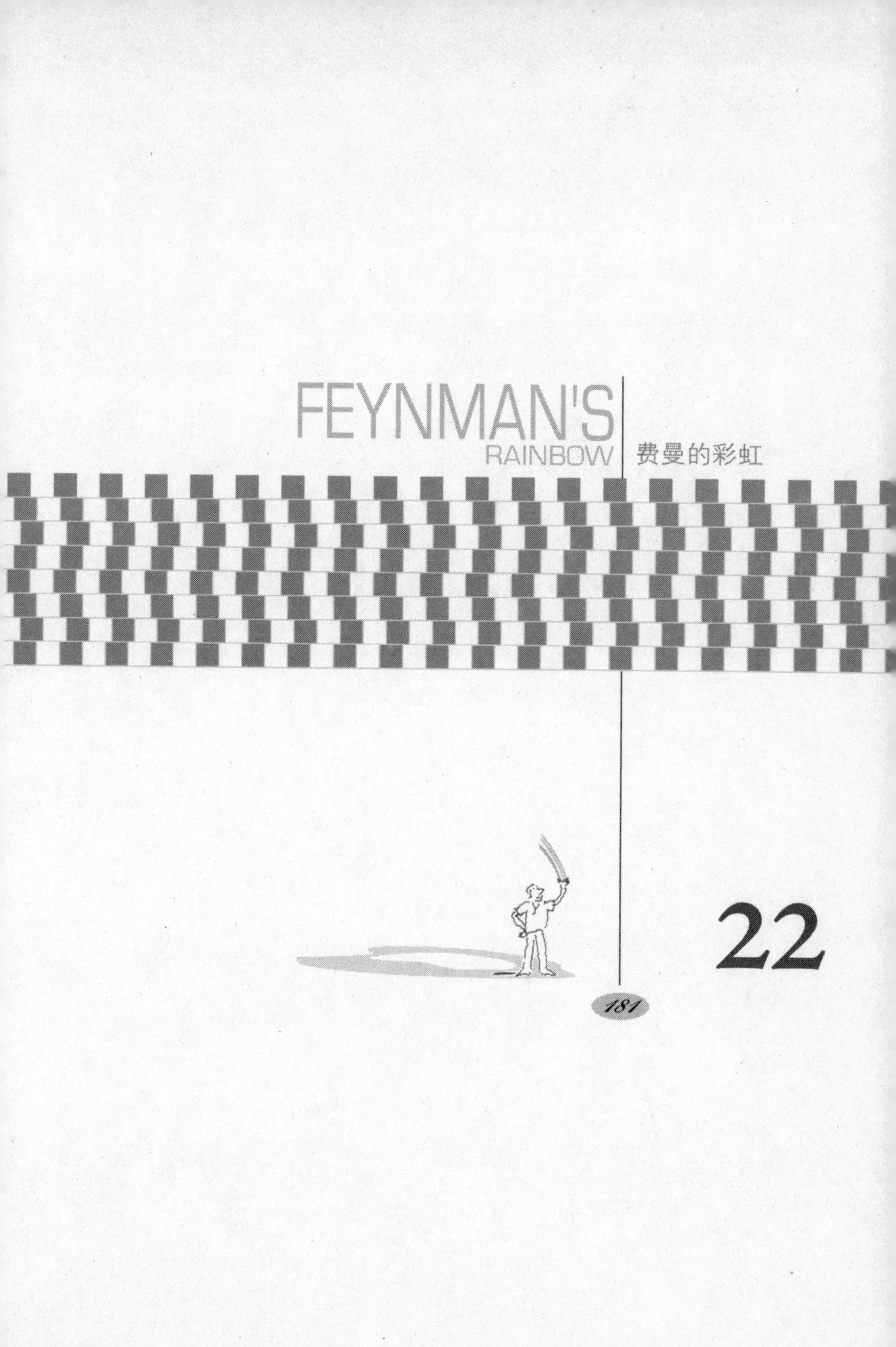
FEYNMAN'S
RAINBOW
费曼的彩虹
22

TWENTY TWO

在我问费曼的所有问题中，心中萦绕最久的最后一个问题是：身为一个人，你究竟是谁；身为科学家，对你的性格有什么影响？

他一直不喜欢这个问题——它太像心理问题。

但他还是回答了。

有鉴于他对所有与心理有关的问题都没有耐性，我视他对这个问题的回答为一份特殊的礼物。我发现无论我认为成功有多重要，到头来，成功并不真的重要。

我甚至不知道在个人层次了解自己究竟是什么意思。我听到人们说“我想知道我是谁”这类话。但我不知道他们在说什么。我可以说研究生物学让我对自己有极多的了解，我知道自己是怎么构成的，我对自己身体的运作方式有一套理论，但那不是在个人层次了解自己。

我可以说我是个科学家。发现总是令我兴奋，而且这个兴奋感不是来自你创造了某个事物，而是因为你找到某个原本就已经存在的美丽事物。所以科学对我生活中的每个部分都有影响，也影响到我对许多事物的态度。我没法说谁先谁后，因为我是一个完整的人，所以我无法对你说，怀疑是我对科学产生兴趣的原因，还是科学是我抱持怀疑态度的原因这类话。这些事是不可能决定的，但我想知道什么是真实的。这是我研究事物的原因，我想观察和找出发生的事。

我想告诉你一个故事。我十三岁时遇到一个女孩，她叫艾琳。她是我第一个女朋友。我们在一起许多年，起初不是很认真，后来愈来愈认真，并开始谈恋爱。等我十九岁时，我们订了婚，我二十六岁时，我们结婚了。我很爱她，我们一起成长。我把自己的观点和理性跟她分享，因而改变了她。她也改变了我，对我帮助很大。她教我，人有时也要不理性。这并不代表愚蠢，而是说在一些场合或情况中，你要思考，但有时你不应该思考。

女人向来对我有很大的影响，是她们让我成为今天这个比较好的人。她们代表生活中的情感层面，我知道情感层面也非常重要。

我不要替自己做心理分析。有时了解自己很好，有时不好。当你听笑话笑了时，如果你思考自己为什么笑，你可能会发现其实事情非但不好笑，还很愚蠢，所以你会停止笑。你不该思考的。我的原则是，如果你不快乐，就要好好想想。但是如果你快乐，就别思考。何必破坏它呢？你或许是因为某个荒谬的理由而高兴，但是如果你知道那个理由，就会扫兴。

我跟艾琳在一起时很快乐，我们过了几年快乐的婚姻生活。后来她因为肺结核而去世。我娶她的时候，就已经知道她有肺结核。我的朋友都说既然她有肺结核，我就不再需要娶她。但我娶她不是出于责任感，而是因为我爱她。他们真正担心的是我会被传染，但我没有。我们一直很小心，我们知道那些细菌是从哪里来的，所以我们非常小心。那是真实的危险，但我没有被感染。

比方说，科学对我看待死亡的态度有影响。艾琳过世时，我并不生气。我要对谁生气？我不能气上帝，因为我不相信上帝存在。你也不能对细菌生气，对吧？所以我心中没有愤怒，也不必寻求报复。我也没有懊悔，因为我真的无能为力。

我不担心以后会上天堂还是下地狱，我对那有一套理论，而那的确来自我的科学。我相信科学发现，因此对我自己的看法也是一致的。我刚去过医院，我不知道自己还能活多久。这迟早会发生在每个人身上。人都会死，只是时间早晚的问题。但是跟艾琳在一起的时候，我真的很快乐，这就够了。在艾琳过世后，我的余生不必那么好，因为我已经尝过那种滋味了。

FEYNMAN'S
RAINBOW
费曼的彩虹
23
187

TWENTY THREE
FEYNMAN'S
RAINBOW

生命中，什么才是重要的？这是个我们都应思考的问题。学校不会教我们这个问题的答案，而这个问题也不像表面看来这么简单，因为你不能提供肤浅的答案。为了找到真相，你必须先了解自己。然后你得对自己诚实。然后你得尊敬和接受自己。对我而言，这些都是艰困的工作。

我在念完大学后，很快就进入学术界，想尽快在研究上冲刺，想向世界证明我是存在的，而且这一切都很重要。这种生活的重心是外在的，这是莫雷的做法。要有所成就，要令人印象深刻，要当一个重要人物，要当领导人。这也是传统的人生道路，看起来似乎也是明显、而且值得追寻的目标。先前我想都没想，就接受了这条路。但对我而言，这就像追逐彩虹一样。更糟的是，这就像追逐别人的彩虹，而其实我连这些彩虹的美，都没真正看见。

我在费曼身上看到其他的机会。如同量子原理的发现导致物理学家必须修改所有的理论一样，费曼的榜样也让我开始省思。他没有追求领导地位，没有受到诱人的“统一”理论吸引。对他而言，发现的满足感一直都存在，即使你发现的是别人已经知道的事物。即使你只是以自己的方式重新得出别人的结果，发现的满足感也依旧存在。即使你的创造力是用于跟自己的小孩玩耍，你依旧会有发现的满足感。这是一种自我满足感。费曼的生活重心是内在的，而这让他获得真正的自由。

根据费曼的分法，我们的文化属于希腊风格的文化，讲求的是逻辑、证明、规则与秩序。在我们的文化中，像费曼一样过日子的人被视为性情古怪，因为费曼属于巴比伦风格。对费曼而言，物理学和生活都是由本能与灵感主宰，因此他对规则和社会惯例才会不屑一顾。他忽视物理学的传统方法，发明自己的方法、自己的路径积分（sum over paths）、以及自己的费曼图。他也忽视学术文化，发明自己的文化，和学生在“油腻”用餐，或在脱衣舞俱乐部研究他的物理学，他之所以做研究是出于热爱、而非抱负。如果他的行为不受认可，他根本也不会在乎别人怎么想。

我选择费曼的方式。世上有许多人没能幸运地对任何特殊的工作产生热情，我移民美国的父亲就是因为忙于生存，而无法有任何选择。特别是在我面对过死亡的恐惧后，如果有选择的机会，我绝不会任它溜走。我下定决心，要以有限的生命尽量追求令我心动的目标，无论其他人认为这目标是否值得。我下定决心，绝不要再对物理、以及生活之美视而不见，无论对我来说，那是什么样的美感。

我知道我必须冒点险，因为我不会只待在一个狭窄“一致”的研究领域，甚至只发展一份职业。我知道既然我没有什么远大的抱负，我可能不会被抱负远大的同侪接受。我知道别人可能会以这人待错地方的嘲讽眼光看我，如同我曾经看待“园艺教授”，或者“面包屑教授”看待我的方式。而且我知道从传统或者按照重要性的观点来看，最后我可能不会像费曼那么成功，或是无法达到母亲对我的期许（正如莫雷对他女儿丽莎所有的期望）。但至少把重心放在内在，快乐会在我的控制之下。

一旦我把别人那些真实或想像的价值观与期许所造成的负担全抛开后，我就可以清楚看出自己热爱的究竟是什么。我不再研究弦论，反而把更多心力放在我和马克一起研究的量子光学上。最后证明费曼是对的：我们的理论没错，而在此之前已为人们所接纳的做法有瑕疵。我也把自己的写作公开出来。如果费曼能以美作为彩虹理论的灵感来源，如果电子的行为可以像波，而光的行为可以像粒子，则我横跨物理学不同的子领域、或甚至同时有不同职业的小矛盾，当然也不会撼动宇宙。

除了费曼，我在加州理工的其他同事没人对我的光学研究感兴趣。无论何时，只要我提到写作他们就会翻白眼。没多久，他们就要求我从现在的办公室搬到大楼另一边去。“莫雷希望有一个人可以搬到他隔壁的办公室。”海伦是这么说的。我想知道这是不是跟我新选择的活动有关，但最重要的是，谁在乎啊？我不知道我的物理学或写作会把我引向何处，但我很期待这趟旅程。无论我是继续把写作当嗜好，还是以此为生，我都希望有一天我能写出令费曼赞赏的作品。但我又想，不，更好的是，我希望有一天能写出令我自己赞赏的作品。

FEYNMAN'S RAINBOW 费曼的彩虹

24

TWENTY FOUR
FEYNMAN'S
RAINBOW

我离开加州理工后，除了在电视上以外，没有再见过费曼。

一九八六年初，他的身体因长期与癌症奋战而虚弱不堪，但他仍然同意加入调查“挑战者号”航天飞机坠毁的美国总统委员会，成为该委员会中唯一的科学家。他对官方冗长琐碎的程序非常不耐，直接飞到各地进行自己的迷你调查。他很快就锁定这场灾难的主要原因，若不是他揭露原因，这场灾难恐怕至今仍是一个谜：原来是航天飞机主要填塞物之一的O型环，在低温时失去弹性。一九八六年二月十一日，费曼在委员会召开的电视公开说明会上，把O型环浸入一杯冰水，并且证明它在受到压缩时没有表现出弹性。他用这个在日后变得相当有名的简单实验，证明了这场灾难的责任大部分要由美国太空总署的管理阶层来承担。那天早上的气温低得异常，只有华氏二十九度（先前发射的最低温度也有华氏五十三度），工程师提出要求放弃发射的警告，但管理阶层却无视这些警告。当时已成为名人的费曼就自己的发现写了一份报告，但是该委员会试图隐瞒，因为他们认为这会让美国太空总署难堪。但费曼极力要求将它包含在正式报告内，最后它终于以附件的方式附在报告内。

费曼在一九八六年十月和一九八七年十月，又分别动了两次癌症手术。在一九八七年的第四次手术后，他已经无法再恢复到从前的状态。他虚弱而痛苦，经常感到沮丧，但物理学仍能带给他活力。他继续教量子色动力学的课程，在他人生的最后几个月，他终于决定学习弦论，由莫雷通过他们每周私下举行的“研讨会”亲自教他。

一九八八年二月三日星期三，费曼住进加州大学洛杉矶分校的医学中心。当他住院时，并不知道自己的病情有多么严重。他只剩一个肾，而它也在逐渐衰竭。他的医生建议他继续洗肾，但这样没有多少生活品质可言，也不是他想走的路。他拒绝了这个建议，只接受打吗啡止痛，并插上氧气，做好接受一切的准备。他说他的最后一个发现就是：死亡的情形。他告诉一位朋友，他从七岁起就知道会有这一天，他没有必要从现在才开始抱怨。他说，他会觉得这种体验很有趣。

他的生命力逐渐耗尽，先是无法说话，接着是无法移动，最后他再也无法呼吸。他终于有了最后的发现，时间就在一九八八年二月十五日，离他七十岁生日只剩几个月。他对抗癌症长达十年，比他先前查到的存活率久得多，而他也坚持得够久，得以克服自己最大的遗憾：他看着自己的小女儿米歇儿长大成人。

费曼去世六周后，加州理工举行了一场追悼仪式，以欢乐的气氛怀念他的一生，许多人纷纷上台追忆他。莫雷的名字也在名单上，但他并没有出现。

他有足够充分的借口。

在他正准备出门去参加追悼仪式时，身穿防弹背心、带着来福枪的联邦探员出现在他家门前。原来他出于对古文化及古代工艺品的兴趣，买了一些流入美国的走私品。莫雷缴回部分工艺品，并积极配合美国海关人员，最后飞到秘鲁，在那里为他的楷模之举而接受表扬，并获颁利马之钥。

莫雷最后终于获得一个机会，在《今日物理》为费曼制作的纪念特刊中公开向费曼致敬。莫雷在讣闻中所写的话，只能称之为是对理查·费曼个人风格的“综合回顾”，它在物理界还引起不小的震憾。

他写道，“在理查的风格中，我向来喜欢他不浮夸的表达方式。有些理论学家以华丽的数学语言或刻意虚饰的结构，装饰有时其实相当平庸的作品，令人生厌。但理查总是以直接的方式，表达强而有力、富有巧思与原创性的构想，令人激赏。但我对理查广为人知的另一个风格则不是那么欣赏。他总是把自己围在神话色彩中，花许多时间与精力创造有关自己的逸事……当然，许多逸事是经由理查自己所说的故事构成，在这些故事中他通常是英雄，而且只要有机会，他总是显得比其他人聪明。我得坦陈这些年来，身为他一直想超越的竞争对手，我一直感到不自在；而且我发现和他共事并不那么意气相投，因为他似乎比较把我们视为‘你’和‘我’，而不是‘我们’。或许对他来说，要跟一个不只是衬托他那些构想的人合作很难……”

莫雷和费曼的确是竞争对手，但我仍很惊讶莫雷选择这么刻薄的做法。这就是莫雷，他仍在竞争，仍在受苦。但我宁可把莫雷采取否定态度的真正理由，想成是他写讣闻那天过得不开心。无论如何，我都觉得费曼没有被冒犯——他总是欣赏说出自己想法的人。饶富讽刺意味的是，大约在写这篇苛评的时候，莫雷正根据费曼早期从路径或历史观点所做的有关量子理论形构的研究，进行一个划时代的新研究。完成那项研究后不久，莫雷就离开加州理工了。现在他在新墨西哥州的圣达菲市定居和工作。

莫雷离开加州理工时，史瓦兹已经不再需要他的指导，因为一九八四年史瓦兹和格林有了一项历史性的突破。在研究五年后，他们终于找到自己一直在追寻的数学奇迹，并解决了弦论最后一个重大的矛盾之处。这并没有使弦论变得比较好解，但至少说服了许多一流的物理学家，特别是爱德华·威滕。这个理论有太多奇迹似的性质，不容忽视。霍姆兹（Holmes）或洛克福（Rockford）很可能会说：是巧合吗？我想不是。在几个月内，曾被视为物理界笑柄的弦论，成为物理界最热门的主题。

在其后的两年中，有数百位粒子理论学家顺应潮流，写了超过一千篇研究论文。今天，弦论研究主导着基本粒子理论的领域。在过去，很难找到研究弦论的人，如今却很难找到没有研究它的粒子理论家。到了一九八四年底，莫雷终于替史瓦兹争取到“一份真正的工作”，让他成为加州理工的教授。但这仍旧得来不易，如同一位行政主管所说的，“我们不知道这人是否发明了切片面包，但就算他发明了，人们以后也会说他是在加州理工成功的，所以我们不一定得把他留在这里。”

一九八七年，史瓦兹荣获声誉卓著的麦克阿瑟奖（MacArthur fellowship），一九九七年，他获选进入美国国家科学院（National Academy of Science）。二〇〇一年，他因“在数学物理领域的重要贡献”荣获美国物理学会（American Physical Society）及美国物理学社（American Institute of Physics）共同颁赠的二〇〇二年海涅曼[1]

---

① 国际著名超弦物理学家之一，同时也是 1990 年数学最高奖 Fields 奖的得主。——编注

(Dannie Heineman) 数学物理奖。尽管有这些荣耀，弦论仍是尚在发展的理论，离获得证明还很远，甚至连充分了解都称不上。史瓦兹说，即使在他的研究看似永远不会被接受时，他也决不会有任何遗憾。他还说，对于它的正确性他从来没有怀疑过。今天，史瓦兹用的是费曼的旧办公室，而且仍在研究弦论。但目前还不清楚在没有海伦的协助下，他未来的处境会如何，海伦已经七十多岁，刚从系秘书一职退休。

费曼不是弦论迷，但他尊敬史瓦兹。为何不呢？若说有谁不盲目跟随流行，这人非史瓦兹莫属。每次我听到人们的构想轻易遭到摒弃，或听到某人的人生目标被批评为无法达成时，我总是会想到史瓦兹。我也会想到费曼，他至少教了我一件事：忠于我们真正想争取的目标是很重要的。

大约一年前，我到离城里很远的仓库整理堆在那儿的旧箱子。其中一个箱子里装的是数十年前的大学教科书，我在其中找到一盘瑞迪歇雪克（Radio Shack）牌的便宜录音带，那些就是本书誊写内容的来源。当我录下我和费曼的谈话时，我并不知道自己想写书，甚至不知道自己有能力做到，但我的确知道我想写有关费曼的事。我想任何认识他并对写作感兴趣的人，都会跟我有相同的感觉。但当时我并没有写有关他的书，而这些录音带也尘封了二十年左右。我想其中的原因在于，那时我心中并没带任何具体目的。

经过这些年后，再听到这些录音带时，我对费曼的思念涌上心头，这位坏脾气、心不甘情不愿的老师，拥有连晚期癌症都击不倒的精神。我也怀念当时的自己，一位充满渴望、天真单纯、拥有整个人生的学子。就在那一刻，本书的目的变得清晰可见。

多年前，我在以色列集体农场读的那本《费曼物理学讲义》里，看到费曼在后记中谈到自己撰写那些书的目的，“我最想让你们了解这个奇妙的世界，以及物理学家看待它的方式。”他的说明实在太过谦逊，因为那些书中呈现的世界观不是任何物理学家看世界的方式，而是他这位物理学家的独特方式。这也是我希望藉由本书进一步达成的目标。因为费曼知道应该如何充分运用这个世界提供的一切，以及如何充分发挥上帝（或纯粹由遗传）赋予他的才能，而这些都是我们可以期望在自己的人生中做到的。在费曼过世的这些年中，我已经体认到这是非常宝贵的人生课程。